河出文庫

ドラキュラ ドラキュラ

吸血鬼小説集

種村季弘 編

河出書房新社

ドラキュラ　ドラキュラ◎目次

ドラキュラドラキュラ

吸血鬼小説集

吸血鬼

ジャン・ミストレル
種村季弘訳

I

ときあたかも一七五七年、史上名高いロスバッハの会戦の当日のことであったが、わが軍にとってまことに不運にも、私は片方の脚に銃弾の一撃を受けて傷ついた。連隊付軍医がただちに弾丸を摘出し、わが軍が後退しながら戦っている間に、名は忘れたが、とある小邑の見た眼もかなり瀟洒な感じの館に私はひとり残された。彼の村民たちの介抱は手厚く、あまつさえ私の費用と彼ら自身の骨折りにたいしても適切な支払いが受けられるよう仲介の労をとってくれさえした。馬車による旅行が可能な状態になるや、私はボヘミアにあるテプリッツの湯治場に向けて出発した。そこでなら腕の立つ医師が見つかると、確かな筋から聞いていたのである。

テプリッツでは賑やかなメムバーの輝かしい社交界に遭遇し、えりぬきの富豪で人となりも高潔なハンガリーの若い貴族エルデリィイ伯爵と友誼を結んだ。伯爵と私とはともに双六《トリックトラック》に打ち興じ、彼が私の旅亭「ローマ皇帝館」を訪れぬ日とては一日もないほどであった。伯爵は、私が年代物のトカイ葡萄酒に不自由せぬよう配慮してくれたが、折あって私がこの葡萄酒の風味をわがフランス国産物と較べたところ、早速家令をプラーハに遣わしてブルゴーニュ葡萄酒の一箱《ケース》を献じてくれたものであった。ある日クラリィ王子公園で数行の詩句をしたためていたとき、伯爵に不意を襲われて、私はついに二度か三度「詩神名鑑《ラルマナ・デ・ミューズ》」誌に平俗体書簡詩を投稿した前歴を告白しなければならない破目にたちいたった。それが伯爵の精神に清新な印象をとどめたようであった。程なくして、あの無比の善意と独特の言い回しで私の傷の消息を問うてきたヴォルテール氏からの短信を披露してからというもの、伯爵の眼に私はまったく別人となった。伯爵はハンガリーにあるその聖《サン》ミクロス城に是非とも客となってくれるようにと逼《せま》り、その懇請のあまり、私はついに招きに応ずることになった。数週間も滞在しようかと考えてのことであった。

城は、土地の人間にはティスツァ河と呼ばれているティス河から程遠からぬ、広びろとした平地の只中に建てられていた。河では、名は忘れたがさし渡し六フィートにも及ぶ巨大な魚が釣れ、その味は淡水産の敷香魚《ヨアカシ》の味を思わせる。それはヴェルサイユ宮殿を模した平屋根造りの壮大な建築で、露台《テラス》が庭園へ向って階段状に傾斜していた。フランスからやってきた夥しい建築家や彫刻師たちがそこで仕事をしていて、種々《くさぐさ》の花壇や迷宮庭園は有名なルノートルの構図に倣って設計されていた。地味が乾いていて多砂質だったので、さる技師の手でティス河から運河用水が誘致されていたが、この運河には小舟を浮べて散策することもできるのであった。数ある泉水には途方もない数に上る蛙が夜通しすさまじい鳴き声を立て、冬季にはその水上に夥しい渡り鳥が翼を休めた。城は、カラッシュや、レ・ドミニカンや、バットゥーニのようなイタリアの大画家たちの絶品を含む典雅な画廊、古銭類《メダイユ》の豪奢な蒐集室、さらにはわがフランス選り抜きの著作家たちの著作を収めているのみならず、ウィーン宮廷図書館から定期的に新しい書物を補われているところの図書室を擁していた。

聖《サン》ミクロスの生活はこよなく快適であった。ほとんど毎朝のように、私は払暁に馬上の人となり、私たちは猟犬を駆って猟に遠出したり射撃に興じたりした。日が落ちれば談話の愉楽《たのしみ》や種々《くさぐさ》の機知《エスプリ》に富んだ遊戯に身を委ねるのであった。社交界の人士は数多く、私たちは舞踏に興じたり、小喜劇を演じたり、管絃楽を聴いたりした。伯爵は、エステルハーツィ家に仕えていたことのある、さるドイツ人を楽長に召し抱えていた。この男はその楽団のためにはやや学究的にすぎて、フランス人の耳にはいくぶんハーモニーの固苦しい感じの楽曲を作曲するのであったが、いずれにせよ由緒の正しい、いまの境遇などよりははるかに実力ある人物であった。のみならず、音楽の技法に通じていることは驚嘆に値するほどで、たまたま私が作詩したいくつかのロマンスのための伴奏曲などまたたくまに編曲してしまうのであった。

伯爵は結婚しており、いまだにその夫人を熱愛していた。伯爵夫人は美しい声の持主で私は夫人とともにしばしばイタリア風二重唱を唱った。夫人の小間使いたちは愚かしげなところがまったくなかった。ぴったりと肌についた胴着に細やかな襞あしらいの寛《ゆる》やかにふくらんだスカートを身に着けた、ハンガリー風の民俗衣裳が稚児めいた愛くるしい娘たちで、可愛らしい足は赤革の細身の長靴にすっぽりとくるまれていた。その柳腰に手を回したり、接吻《くちづけ》を盗もうとしても、なすが儘に微塵も勿体をつけようともしなかった。そもそも私は野戦の生活からかかる手軽な色事の好みを保持しつづけていたので、この愛らしい蓮っ葉な小間使いたちが大層気に入っていたし、また近隣の小城主たちが聖ミクロスを訪れる際には、私こそは巴里やフランス宮廷の最新の流行を教える立場にある人間だとでもいうように、夫人たちがこぞって装身具や小間物の助言を求めたがるのであったが、それでも私は、おそろしく嫉妬深い殿方連中のどんな疑惑をも買ったためしとてなかった。

伯爵夫人は、名をエリザベート・ド・フンファルヴィという、その厳父がトルコ軍との交戦中ところもトランシルヴァニアの奥地で戦死した、さるやんごとない生れの若い娘をお側におかれていた。伯爵夫人はこの娘に熱い愛情を灑《そそ》がれ、およそ親身の姉が妹にたいして持つすべての心遣いをもってエリザベートの身の周りをくるんでいた。伯爵夫人が溌溂として陽気であるのにひきかえ、エリザベートは内気で感じやすい娘であった。讃め言葉を捧げられると、頬を染めて上気したり、一度など私が彼女の前で騎士《シュバリエ》グリュックの新しい歌曲を唱うと、突然涙にかきくれさえしたこともあった。

城の常連たちの間にあってもっとも風変りな人物といえば、疑いもなくコルネリウス・ド・ヴィンダウ男爵であった。男爵は聖ミクロスから二マイル余りほどの、キスファルー村近在にある、蒙昧な村民たちの噂では妖術師どもが夜宴《サバト》を張るというなかば朽ちかけた古塔の一際高く聳え立つ異様な邸宅に居を構えていた。齢の頃はおそらく五十歳位であったろう、その痩身と醜怪さとは人目にあざといほどであって、男爵が、さながら箍《たが》のように脇の肋骨《あばらぼね》が張り出した見るも哀れな二頭の駑馬に曳かせた、古色蒼然たる四輪馬車《カレーシュ》から降り立つときには、従僕たちも真面目な顔を保つのが精一杯であった。不器用に穿いた靴下は葡萄の副木《そえぎ》そっくりのその腓《ふくらはぎ》のあたりで螺旋状に捩くれていた。燕尾服の垂れ尾がひらひらと風に靡き、衣裳がまるで身体に合わないといった風に見え、鼻は先が尖って鼻孔が大きく空ろになり、おまけにこの奇妙な顔つきをいやが上にも完璧なものにするために、彼の上顎からは二本の長い犬歯がにょっきりと突き出して、これは子供たちをふるえ上らせるのにおあつらえ向きであった。

　城付司祭の、尊者の風格のある老神父は、とどのつまりは極楽トンボの、賭事ともなればややもすればいんちきを働く悪癖のある好漢であったが、男爵にはほとんど敬意を払っていなかった。神父が見事なラテン語を操りながら断言するところによれば――彼はハンガリー語とラテン語しか話さず、そのラテン語もイタリア語風に発音するのであった――男爵はその遺産をことごとく、賢者の石造成のために蕩尽してしまい、淫夢魔《スキューブ》と取引をしており、またいつの日かかならずや地獄の業火に焼かれるであろうというのであった。エルデリィイ伯爵はその件に関しては肩をすくめてこう語るのだった。

「ヴィンダウはアルベルトゥス・マグヌスやら錬金術やらの本を読んで、すっかり理性を失ってしまった老狂人にすぎません。しかし、あれは大層博識な人でしてね、親友だった私の亡父の旅行にはいつも同行していたものでした」

＊

　ある秋の日の夜のこと、私たちは大広間に集っていた。音楽の響きは歇《や》み、庭園の樹立ちをはげしくゆすぶる風の音が耳についた。夜の鳥たちがけたたましい叫び声を上げた。

　――苦しんでいる魂のようですこと」若いエリザベートが言った。

――幽霊をお信じになりますか、お嬢さん」私は微笑みを浮べながらエリザベートに訊ねた。

――信じてはいけませんかな?」とヴィンダウ男爵が言った。

――お国では読まれていないようだが、英国のウィリアム・シェイクスピアがどこかで書いています、〈この大地と天空との間にはわれわれの哲学では測り知れぬ種々《くさぐさ》の物がある〉とな。エリザベート、そなたがお望みなら、また伯爵夫人のお許しがあれば、世にも不思議な、しかも断じて作り話とは思えないような話をどっさりお聞かせできるのだがな!」

エリザベートは返事をしなかったが、伯爵夫人が拍手で迎えた。

――お待ちかねでしたの、男爵様。私どもが怖がることなどご心配ご無用ですのよ。私は恐ろしい物語が大好物!」

ヴィンダウは腰を下ろし、エリザベートをひたと見つめながら語りはじめた。

――前世紀初頭のことですが、マーグデブルクにアルノルト・ディットマイヤーという名の医者がいた。大層名が高かったので、二十マイル四方から診断《みたて》をうかがう者が押しかけたほどの人です。ディットマイヤーの才能は彼に払われた敬意と富に見合っていた。それでいて当人は鬱々として楽しまなかった。というのも、ディットマイヤーの望みは世間のあらゆる人間に自分が現在過去を通じて最高の識見ある医学者と認められることにあったからだ。さて一夜、ディットマイヤーは書斎で解剖学の論文の頁を繰っていたが、そこへ灰色の服を着た見知らぬ男が一人現われた。ディットマイヤーは男を患者だとばかり思って病態を訊ねはじめたが、相手は彼の言葉を遮って言った。

――私は生れてこのかた病気に罹ったことはない、誓って、一遍もないのだ。そうではなくて、私は知性のある人物との交際が好ましいのだし、貴殿はドイツ最高の十人か十二人の医者のなかの一人だ』

医者は思わず顔をしかめたが、無理に笑顔を作って、

――そういうことになっているようですな。しかし、御覧の通り、まだ勉学中の身です』

――そう』と見知らぬ男は口ごもって、

――要するに問題は第一人者になること、それだけだ！』

――お言葉だが、ああ！　古代にはじまって今日にいたるまで』とディットマイヤーは嘆息を洩らしながら、

――発見すべき何が残されているというのです……』

――生命の秘密、死の秘密がある』

――神はそれを知ることを留保されたではないか！』

見知らぬ男は口を歪めて言った。〈神は、その知識を見出した者はおのれと対等になるがゆえに、わが身のために探究を妨害したまでだ！〉〈神の冒瀆は慎むがいい〉と医者は叫んだ。そう言った瞬間である、ディットマイヤーは見知らぬ男が立ち上がって、いまにも天井の梁に触れそうなまでにみるみる大きくなるのを見た。男の眼が燃えさかる炭火のようにきらきらと輝いた……」

話がここまできたとき、エルデリィイ伯爵がどっとばかり笑いこけたものである。

——何という他愛のない話をして下さるお方だ！」

だが伯爵夫人はエルデリィイ伯爵に批難の眼差しを投げた。

——寒いわ」エリザベートが慄えながらつぶやいた。風はいよいよ激しさをつのらせていた。

煖炉にまた薪がつがれた。

——野分《のわき》だ」と伯爵が言った。——この平野には風の力を挫《くじ》く障害物がまるでないので、嵐がいつもすごい荒れ方をするのです」

——お話をお終いまで聞かせて下さいな、ヴィンダウ様、後生ですから」伯爵夫人が請われた。

ヴィンダウは話をつづけた。

——悪魔は、と申すのも、それは悪魔だったからなのだが、ポケットから一本の小壜を取り出すと、医師に向って言った。

——この薬壜のなかには、貴殿が競争仲間を打ち負かして栄冠をかち獲《と》るよすがとなるものが入っている。この薬液を数滴用いて癒しえぬような病は、どこを探しても見つかるまい』

——で、値段は如何程かな？』

——これは差し上げる』

——しかし壜が空になったら？』

——いずれまたお目にかかりにこよう』

まもなくディットマイヤーの驚くべき施療の評判はドイツ国中にあまねくひろがった。ディットマイヤーは、マインツ大司教、ザクセン選帝侯の妹君、バイロイト辺境伯の病を快癒申し上げた。謎の薬壜が底をつくと、そのたびに見知らぬ男がかならず訪ねてきては薬液を新たに補ってくれた。さて、ある晩のこと、いましもこの医者が臥床《ふしど》につこうとしているところへ、しきりに扉を敲《たた》く音がした。ウィーンからやってきた使いの者で、ドイツ皇帝の姪であるマリア・リチュドーヴィカ大公妃殿下が憔悴の病に窶《やつ》れておられ、治癒の見込がまったく立たないので、宮廷典医たちが当代最高の名医として彼を招聘させたのだった。ディットマイヤーはついに大望が成就したことを知った。駅伝馬車が通りに待たせてあり、乗継ぎの準備は万全を期してあったので、あの貴重な霊薬になにがしかの手回り品を手にしただけでウィーンに出発した。

到着するやいなや彼は城内に招じ入れられた。大公妃殿下はまだ息があったが、末期は刻一刻と迫っていた。病床を囲んでいた医師団は敬意をこめて会釈をした。ディットマイヤーは軽く挨拶を返し、病人に眼をやって微笑みを浮べ、病態を云々する言葉に耳も藉《か》さずに懐中から霊薬を取り出して、栓を抜いた。すると突然、壜が手を滑り、嵌木板の床の上に落ちるや微塵に砕けてしまったのである。彼は雷《いかずち》に打たれたように茫然自失したままであった。かけがえのない液体はみるみるうちに蒸発してしまったのだった。

このとき皇帝付の典医が彼に言った。

――大公妃殿下は今夕まではたぶん保《も》たれるでしょう。当地で霊薬を新しく調合し直してはいただけますまいか？　宮廷調剤師たちがご命のままにしたがいましょう』

ディットマイヤーはようやく気を取り直していた。

――ご当家のご助力は必要ありません』と彼は言った。――どうか私を宿の〈三斧館〉にお送りいただけますまいか。旅行鞄のなかに薬液を調合すべきものがなにもかもそろっていると存じますので』

宿に帰ると、彼は羞恥と困惑とに頬を上気させながら部屋に閉じ籠った。これまで彼は一度たりと霊薬の成分を分析しようなどという気を起したことはなかったのである。まもなく自分はどうしてもおのれの無能を告白しなければならぬであろう。あれほど自分に敬意を払ってくれた典医たちも手の裏を返すように嘲罵するであろう。皇帝陛下は自分を安っぽいペテン師として追放されるであろう。人眼をくらまして逃げるなどは思いも及ばなかった。宮廷付将校が何人も階下で作業の終るのを待っていたのである。ものの小半刻も途方に暮れていたであろうか、とこのとき、通りの方でなにやら押問答をしている気配が耳に入り、まもなくあのすぐにそれと判る声が、耳ざわりに、横柄な調子で聞こえてきた。

――ディットマイヤー先生の徒弟でございます。どうかお目通りをお許し願いたい！』

と、またたくうちに悪魔が部屋のなかに入ってきた。

――これはこれは！　先生』

と悪魔は言った。――たまたま当地を通りかかったものでね、どうやら袋の鼠といった態《てい》たらくのようですな！』

――霊薬をくれんか』医師は懇請した。――でないと私の面目は丸つぶれだ！』

――あれは持ってこなかったよ！　まさかウィーンでお目にかかろうとは思ってもみなかったのでな。しかし作るのに手間はかからない。そちらが思っているより簡単なのだ、必要なものは全部ここで間に合うだろう。それから処方箋をお教えしておこう、これで貴殿に足繁く訪ねてこられずにすむわけだ』
——四の五の言っているひまはない、大公妃殿下は一刻を争う生命なのだ！』
——よかろう』と相手は言って、——階下の広間へ行って宿の主《あるじ》のいちばん歳下の息子に葡萄酒の壜を一本持ってくるように言え』
医者は階下に行った。再び戻ってきて見ると、悪魔は壺のなかで頻りに粉末を混ぜ合わせていた。悪魔は扉の閂《かんぬき》を掛け、ついで、子供の腕をつかまえると、口に手巾《ハンケチ》を押し込んで、ディットマイヤーに命じた。
——卓子《テーブル》の上の包丁を執って、こいつの喉を刳《えぐ》るのだ。さ、早く！』
医者は命じられた通りにした。子供の血がおそろしい勢いで壺のなかに迸《ほとばし》った。悪魔はこれに粉末と葡萄酒とを混ぜ、それから件《くだん》の液体を小壜に注ぐと、忽然として消えた。
医者は早速城に招じ入れられたが、折から大公妃殿下の部屋にたどりついたときのことである。ガプチン会修士が一人、部屋から出てきて控えの間に犇《ひし》めいている人びとに告げた。
——妃殿下はたったいま息を引きとられた』
ディットマイヤーはそれでも部屋に入っていった。皇帝付典医が腕を挙げておごそかに言った。
——遅すぎました。妃殿下はお隠れあそばした。もはや私どもの出る幕ではありません』
と、このとき何者かの声がディットマイヤーにそっと耳打ちした。
——おれの秘薬の力を知らないようだな、あれに死者を蘇らせる力がないとでも思っているのか?』

ディットマイヤーは身を慄わせた。だが、声はまたしても耳打ちをした。

——ティアナのアポロニウスは死者を何人も蘇らせた。おれの助けがあるというのに、奴よりも力が劣ると思っているのか?』

ディットマイヤーは寝台の方にあゆみ寄って、居並ぶ典医たちに声をかけた。

——御照覧あれ、卿らに私の秘術の証人となっていただきたい』

彼は死者の歯を押し開き、口中に秘薬を数滴滴《したた》らせた。

最長老の典医が声を上げた。

——この冒瀆は許してはおけぬぞ! ひとり神御一人のみが人間の生命の主であらせられるのだ』

しかし、彼がそう語っている間にも、若き妃殿下は眼を開かれ、茫然として居並ぶ人びとの眼の前で寝床の上に身を起された。それからディットマイヤーの方に腕を伸ばして声を上げたのである。

——妾《わたし》に束の間の生命を下し給うたのは、その方の主《あるじ》ではなくて、神だ、妾がその方の罪業と悪魔と交した契約を摘《あば》くようにとの御心からだ!』

言うが早いか妃殿下はふたたび褥上に倒れて息を引きとられた。ディットマイヤーは即座に捕えられて牢屋に入れられた。彼は殺人と妖術使いの判決を下され、一千六百十八年六月二日、グラーベンで生きたまま火刑に処せられた」

ヴィンダウがそう語り終えると、このとき突然すさまじい大音響が起り、広間の窓のひとつが粉々に吹き飛んだ。エリザベートは椅子から跳び上り、顔面も蒼白に、気を失って崩折れた。私は咄嗟にとびかかって彼女を救けようとした。

——この娘《ひと》の介抱が先だ」と伯爵が言った。——ほかのことはどうでもいい。楡の大木の枝が風で折れたのだ」

エリザベートはすこしずつ意識を取り戻しはじめ、ゆっくりと眼を見開いたが、男爵に気がつくとその四肢ははげしいわななきに震えるのだった。そこで私はヴィンダウに言わざるをえなかった。

——御覧なさい、あのたわけた話がこの娘《ひと》をどんな状態にしてしまったか！」

ヴィンダウは冷やかに私の方に眼をくれた。

——失礼ながら哲学者殿、いま皆さんにお話申し上げたのは作り話などではない。ただし、フンファルヴィ嬢にはこれほど御機嫌をそこなわれた事故の一件を平に御容赦願いたいと思っている」

彼は会釈をし、暇乞《いとまご》いをすると、嵐の真只中に帽子を忘れて発っていった。

II

その一週間というもの、ヴィンダウは城に姿を見せなかった。エリザベートは、何日もの間伯爵夫人の部屋をほとんど離れずに、窓辺や露台の上の長椅子に身を横たえて、書物を読んだり、なにやら刺繍の仕事に専心していた。気散じのために、エルデリィイ伯爵は近郷の貴族を一人残らず招待して、大がかりな狩猟を催すことに決めた。

私たちは幌付四輪馬車《カロッス》を二十輛ほど連ねて出発した。私はエリザベートの真向いに席をとっていた。夥しい騎乗の随行者たちが馬車の護衛にしたがった。伯爵がティス河の岸辺に所有している別荘に到着すると、林間の空地に豪奢な正餐が用意されていた。樹立ちの蔭ではヴァイオリンが奏でられていた。食後、若い人たちが語らってダンスの雲行きになりかけたが、伯爵夫人が出発の合図を下した。御婦人方も狩猟の間中随いて行く手筈になっていて、しかも樹々の間の間隔がかなり狭い森のなかを通っていかなければならなかったので、七、八人の人間がゆったりと席を占めることができる、座席にたっぷり詰め物をした、長い、幅の狭い乗物を進めることになった。この乗物はいずれも四頭の馬に牽かれ、まるで橇のように地上を滑り、車輪のついた車では役に立ちそうもない狭いところも通り抜けるのであった。

こんな風にして長道中を進めて、灌木が四方を取り囲んでいるかなり広大な平地にたどりついた。一行はそこで乗物を降ろされ、伯爵の従僕たちが森の境に軽い椅子を並べた。御婦人方がこれに腰を下ろし、私はエリザベートの傍近くに佇んで、近郷の百姓どもが妻子ともども私たちを中心にして巨大な半円を描き、長い竿で茂みを叩いてこちらの方に獲物を狩り出しながら進んでくるのだ、と彼女に説明した。実際、まもなく平地の向う側の藪から野兎や雉子《きじ》や山鶉《やまうずら》などが群をなして跳び出てくるのが見え、大虐殺が開始された。一同の手元には装塡した数挺の銃が用意され、従僕たちが銃火に切れ目のないように、できるだけ手早く弾薬を塡《こ》めなおすのであった。伯爵夫人は長椅子にすわったまま雉子や山鶉を射って数羽を仕止めたが、エリザベートは従僕が武器を差し出しても受け取らなかった。

突然、勢子《せこ》たちが喊声を上げはじめ、パリパリと小枝の折れる音が聞こえてきた。私は鹿か猪が跳び出してくるのを狙って待機していた。するとこのときヴィンダウが老いた駑馬に打ち跨《またが》って森のなかから跳び出してくるのが眼にとまったのである。射撃が止み、伯爵が激怒してヴィンダウに叫んだ。

――急いでお通り下さい、狩猟《かり》を台無しにしてしまうではありませんか！」

だが、ヴィンダウは小さく跑《だく》を踏みながらこちらをさしてくると、身ごなしも優雅に伯爵夫人の前に下馬した。

――なにとぞ」と彼は言った。――皆さんの狩猟のお邪魔をしてしまったことを御容赦いただきたい。皆さんの雉子を逃がしてしまったのですから、お詫びのしるしに、どうか我流の鳥をお受けいただきたい」

ヴィンダウは燕尾服の垂れのなかから小さな銀製の煙草入れを二つ取り出し、ひとつは伯爵夫人に、もうひとつの方はエリザベートに捧げた。伯爵夫人が発条《バネ》を押すと蓋が開き、親指ほどの小さな鳥が「美味しい煙草がございます」とばかりの囀り声を上げながら翼をバタつかせてひょっこり現われた。

小函を開けてみようとさえしなかったエリザベートを除いて、満座が爆笑につつまれ、伯爵は老狂人を夕餐に招待した。それから従僕と護衛たちが獲物を集め、一行は帰途についた。ヴィンダウは馬車の昇降口について得意然と馬を走らせていたが、彼が近づいてくるたびに、エリザベートはあらぬ方に顔をそむけた。

——あの方はなんだか私を憎んでいるような気がするのです」と彼女は私に言った。

*

この時以来、男爵はまたしても聖ミクロスに日参するようになった。その度ごとにとはいわぬまでも、ほとんど毎度のように、御婦人方に風変りにカットを凝らした切子瓶やら、西インド産の木材で作った小函やら、支那の石やら、なにかしら珍奇な贈り物を持ってくるのだった。

——贈り物で破産なさいますことよ」伯爵夫人が冗談をとばした。

だが、ヴィンダウは微かな乾いた笑いを浮べて答えるのだった。

——いや！　いや！　私は世間で思われているよりずっと金持ちなのでしてね！」

ある朝私たちと狩に同行しているときに、伯爵の厩舎のスペイン馬に乗っていたヴィンダウは、この馬に振り落されて溝に転げ落ちた。私は叫び声を聞きつけて急遽駆けつけると、彼が鞍に乗るのに手を藉してやった。ヴィンダウと私が他の人びとと落ち合ったとき、私は彼の不名誉な冒険談を公開するのを差し控えた。この良き処置が彼の心に触れて、以来好意の眼差しで私を見るようになった。奇矯さはあるにせよ、ヴィンダウの会話は興味深いものであった。というのも、彼は書物のなかや旅行の道すがらに種々のことを学んでいたからだ。不幸にも彼の話は、きまって呪術や、悪魔との契約や、予兆や、占星術に関するものであり、残念なことながら彼の脳漿には私たちの世紀にはふさわしからぬ迷信がどっさり詰め込まれているのであった。彼の言うことはすべて信じるという顔をしないと、ヴィンダウはむきになって憤慨するのだった。

一度ならず、ヴィンダウはエリザベート・ド・フンファルヴィのことを話題にのせ、その人となりにひきもきらず讃嘆の言葉を惜しまなかった。それからふいに立ち止まると、疑わしそうな顔をして私に訊ねるのであった。

——騎士殿、あなたはあの方にすこしばかり懸想しておいでなのではありませんか?」

それから彼はゲラゲラと大声を上げて笑いくずれ、靴先でクルリと一回転すると、おそろしく調子外れの声を上げてイタリアの小アリアを歌うのだった。

　　愛《アモール》、ソハ残酷《クルデーレ》ナル暴君《ティランノ》……

けれども咳の発作が歌を遮って、絶対に第一小節以上先へ行ったことはなかったのである。

ちょうどこの頃、伯爵夫人がギリシア語を習おうという気まぐれを起した。ウィーンから辞書やら文法書やらが取り寄せられたが、伯爵夫人ははやばやと熱がさめ、本を開いて翻訳するヴィンダウにホメーロスを読んでもらうことで満足していた。エリザベートはときおりこの読書の助手をつとめていたが、シャルル四世皇帝の宮廷やら、ヴィンダウが彼女の父を知るきっかけになったトルコ戦役やらの逸話を語り聞かせたおかげで、とうとう男爵はエリザベートの寵を取り戻すところまで漕ぎつけていた。だが、ああ、誰一人としてまだ、ヴィンダウが心中深く育んでいた、あの恐ろしい企みを知る者とてはなかったのだ。

ある日のこと、私はあのデプレオー氏よろしく気難しい韻を思いあぐねながら庭園を散策していると、最寄りの樹立ちのなかからふとかなり昂奮している対話の気配が耳についた。耳を欹《そばだ》てるとヴィンダウの声と知れたが、おそろしく強引な、口早の話し方で、どうやら誰かを問い詰めているような様子であった。私は感づかれないように近づいた。だが、男爵がエリザベートの前に跪いて熱い心のたけを打ち明けているのを眼のあたりにしたとき、私の驚きはいかばかりであったことだろうか。エリザベートは取り乱した様子でヴィンダウの言葉に耳を藉し、私には聞きとれない返答をしていた。突然、男爵はあっというほど敏捷な身ごなしで立ち上がると、乙女の身体に腕を回して、接吻《くちづけ》を盗もうとした。この瞬間、私は姿を現わしてヴィンダウの腕をつかみ、エリザベートの身体から捥《も》ぎ離してはげしい罵声を浴びせかけた。彼は尊大な笑いを爆発させると言葉を返した。

——何を勘違いされておられるのだ？　私はこの若き美女に結婚を申し込んでいるところなのだぞ」

エリザベートは恐ろしげな身振りをした。私はヴィンダウに平手打ちをくわそうとする衝動をじっとこらえながら言った。

——あなたがもしも私より二十歳年長でなければ、この筋書きのわけをお訊ねしたことでもありましょう。いずれにしても、この家には二度と顔を見せないでいただきたい！」

ヴィンダウは非の打ちどころのない沈着さでその三角帽子を拾い上げ、鬘を整えると、それからなかば失神したまま私の腕に凭れかかっていたエリザベートをじっと見詰め、歯の間からシュッと奇妙な音を出した。

——いずれにしてもやがて彼女は私のものになろう、それもそちらが思っているよりも近いうちにな」

そう言うと、せかせかした足取りでその場を去っていった。

その翌朝のことである。百姓たちが木の枝で作った棺架の上にヴィンダウの屍体をのせて城に現われた。百姓たちは仕事に出かける途中、庭園のはずれの、ティス河の運河に溺死体となって浮んでいるところを発見したのだった。この異様な結末は、死を悼むという気になるよりもむしろ私たちに驚愕をあたえた。ヴィンダウが自殺をしたという確証はなかったので、男爵はそれほど数多くの秘蹟に参加したことはなかったとはいうものの、キスファルーの司祭はさしたる困難もなく彼を墓地に埋葬させた。埋葬には、魔女と思われている三、四人の老婆と、なかば土人の血が入ったボスニア生れの彼の従僕が参列しただけであった。後日になって判ったことであるが、男爵はこの男に全財産を遺贈していた。

III

すべてこれらの出来事はエリザベートの健康をいたく傷つけないわけにはいかなかった。そこで夏も近づいてきて暑さが堪えがたくなり、かねて私たちはフェステティクス大公にケストリィの城へ招待されていたので、バラトン湖さして旅支度をした。

ドイツの地図ではプラッテンゼーと記されている所のバラトン湖は、ヨーロッパの最も大きい湖のひとつである。深さはさほどないにしても、その水面は正真正銘の暴風にしばしば襲われて立ち騒いだ。いくつかの微弱な流れが注ぎ入っているだけであったが、それはドナウ河に豊かな水をもたらす一筋のかなり美しい川の水源地であった。土地の人びとは、この現象を説明するのに、湖底に数多くの水の湧き口があるのだと言っていた。どういうわけなのか、湖の面積は年々小さくなる一方であって、一世紀前に漁師が網を打っていた場所には今日では葡萄の樹が生えているのである。これは尊敬すべきプレモントレ師がケストリィの近在にある昔日の杭の遺跡を見せてから私に語り聞かせてくれた話であるが、師の言葉を信じるなら、それは往時敵の襲撃を避けて水郷に隠れ家をもとめた古代ハンガリー人の聚落の遺跡であるというのだ……。（原註）

（原註）　ヴィーユヴェール騎士はここで古代ハンガリー民族に関する長大な考察に立ち入り、問題の遺跡の起源についていくつかの仮説を論議している。私たちは本題を離れたこれらの道草につき合う必要もあるまいと考えた次第である。――編者記

この快適な滞在の経過中に、エリザベート・ド・フンファルヴィは彼女の心を曇らせていた陰鬱な想念の数々をたちまちにして忘れた。ハンガリーもこの地方一帯はティス平野よりもずっと陽気で、当世風の言い方をすれば、よりロマンチックである。いまだに本当に山賊が身を潜めているにちがいない鬱蒼たる森林が眺められ、湖の岸辺は火山の形に似ている頂のとんがった小さな丘に縁取られている。地平を端から端まで見渡すと数知れぬ悦ばしい景物の上に眼がとまる。湖のきらめく波、丘の中腹の葡萄畑、羊の群が点々と草を食んでいる緑の草原。樹々がすっかり裸になっているハンガリーの平原だとこうはいかなくて、視線が憩いの対象にできるようなものは何ひとつ見つからない。そこには一人の人間が生活を依存させているにもせよ、小石一個見つけようとしても無駄だ、と古い俚諺《ことわざ》に言う通りなのである。

フェステティクス大公家では、美男で家柄の良い青年たちが何人もエリザベートを囲んで御機嫌を伺った。エリザベートの方はしかし、青年たちの敬意を、相手の気を殺《そ》ぐような冷淡さをもって迎えていた。私はと言えば、この慎み深さが私にはいつもそれだけ魅力を引き立たせるように映った。こうして湖を見下ろす露台の上で二人だけになったある夜、私は、彼女にたいして抱いている敬意のこもった愛情を打ち明けたのである。それは若者の胸に官能の火が点《とも》す、燃えさかるような、とはいえどうかすると束の間にして過ぎ去る情熱ではなかった。三十年も昔のことではあるが、私は、若者たちがときとして愛と取り違えることがある、あのすべてのものを押し流す激流のようにおそろしい勢いで流れ去り、通りすぎた跡に廃墟しか残さない、心の惑いの危険から、自分だけは免れていると信じることができたのである。彼女に言い寄ろうとする者たちにたいして示すエリザベートの冷淡さが私をして大胆に真摯な忠誠心を彼女に打ち明けるきっかけになったのであった。彼女がその頌《ほめことば》をうべなうことを拒《しりぞ》けていた光彩陸離たる騎士たちの誰よりも私が魅力的だなどと思い込んでいるわけではなくて、むしろ彼女にたいする自分の感情の真率と深さとを相手がすでに知っているとあえて信じたがためであり、これ以上愛してはならないと彼女に命じられることを除けば、胸中を打ち明ける以上は、あらかじめことごとく彼女の意《い》嚮《こう》に従う用意があったからである。

私の期待していた驚きは見せずに彼女は淑やかな慎しい様子で私の話を聞き、一瞬答えを控えたままでいたが、それから両手で顔をなかば覆って呟いた。

——あなたさまが愛して下さるのをお断りいたしはしません」

楽しかりし日々よ、その想い出は三十年の歳月が過ぎ去ったいまもなお私の胸によよない甘さとともに甦ってくる！　私の心が相愛のやさしい醇乎たる至福を味わった数々の魅せられた瞬間《とき》、死に臨んで私がすくなくとも幸福を知っていたと言うことができるとすれば、それはまさしくこれらの瞬間ゆえである！

他日もしも、ここに記している小文を、私一代をもって消え去るであろう貴族の称号の間、わが家統の文書庫のなかに、私の死後、人びとが発見したとすれば、いや、もしもこの小文が誰やらん自由思想家の眼にとまることがあるとすれば、国王の軍隊の大尉がおのが仕える貴婦人にのぼせ上ったお小姓のような語り方をしているのを目のあたりにして笑うことであろう。笑わば笑え、堕落せる魂よ、だが、御身の無情が至上のものだなどとはゆめゆめ考え召さるな！

エリザベートに、私が彼女に心を寄せている旨の告白をうべなってからというもの、私は久しい間自分の生活の将来の整え方を夢見た。私はあらゆる血縁の係累から自由であった。父上と母上とはすでに亡く、姉君はプルイエ尼僧院で修道尼の籍に入っており、尼僧院入りの際に持参財を受け取っていた。ヴィーユヴェール、ミルヴァル両家の私の相続分は私の後見人の手元に収められ、公証人は私になんの心配も煩わしさもないように、小作料を定期的にフランクフルトの銀行から送ってきていた。私が公職に復帰する気があれば私のために大臣に便宜を計ってくれる地位にある友はヴェルサイユに何人もいた。だが私は、あえてこの考えをエリザベートには打ち明けず、むしろエルデリィイ伯爵夫人に話す方がよかろうと考えた。

二言三言口を切ると、エリザベートが伯爵夫人にすべてを打ち明けていることがわかった。伯爵夫人が悦びの色を隠さずにこんな風に語りかけたからである。

――良人は、宮廷楽団長に婚礼のカンタータの作曲を命じましたのよ、私どもでは婚約式と婚礼は聖ミクロスで挙げるものとばかり思っておりますもの。エリザベートは私どものほかに身寄りはございません」そして微笑みながらつけ加えた。――あの娘を喜ばせてさしあげるお気持があれば、ついでに私どももですけれども、ぜひとも私どものお城に二人の離れを用意させて下さいませ。良人もとうにそのつもりでおります。ご両親がお亡くなりになっていることは存じておりますわ。フランスにはあなたを呼ぶものはもう何もございません。お国ではエリザベートは一人ぼっちの思いをいたします。それにひきかえ、こちらにおいでになれば、友愛の喜びをお捨てにならずに、愛の悦びを味わうことがお出来になれますわ」

＊

私たちが聖ミクロス城に帰ると、葡萄畑の葡萄の枝々ははや黄ばんで、収穫《とりいれ》の仕事がはじまろうとしていた。城付司祭はエリザベートと私の間近い婚約を聞いて感動のあまり涙ぐみ、私たちの結婚を祝別するのが彼の役だと知らされると、昼食後は毎日図書室にこもって、彼が述べるはずの当日の福音書講話のキケロ風の文体の彫琢に耽った。

しかしながら、婚約祝いの日ときめた当日が近づくのにつれ、フェステティクス大公の城でエリザベートが示した明るい表情はしだいに影をひそめ、憂鬱がそれに取って替ってきたのだった。彼女はときおり窓辺に佇んで窓硝子に額を押し当てては、物も言わずに地平線の彼方を眺めやっていることがあった。私が手をとると、放心したようにそれをゆだねるがままにしているのであった。ある朝、エリザベートは私に庭園の散策のお伴をしてくれるように請うた。エリザベートは昔そのあたりで人形遊びをしたというベンチや、いつか頭をぶつけたことのある木の下枝や、巣を落ちてきた一つ腹の雛鳥たちを拾い集めた場所を、私に指さして教えてくれた。私たちはこうしていつか庭園の外れまでやってきていた。二人の年とった百姓がティス河の運河の畔で乾草刈りに耽っていた。私は戯れに言った。

──あの白い髯といい、草刈鎌といい、あの老人たちは〈時〉の寓意画《アレゴリー》にそっくりではありませんか？」

エリザベートは笑みを浮べた。

──私はヴェルサイユ宮殿の絵画や彫刻からずっと遠いところで育った、教養のない小娘ですわ！　さあ、運河の畔にすわりましょう、あそこなら草がどっさり生えておりますことよ」

すると老人たちの一人が腕を上げて走り寄ってきた。

──失礼でごぜえますが、お嬢さま、そこにおすわりになってはなりませんだ！　そこは、この春、私どもがヴィンダウ男爵様の亡骸《なきがら》を見つけた場所でごぜえます」

エリザベートは顔色を変え、叢《くさむら》のなかに蛇を見つけたように顔面蒼白になった。私たちは、この想い出が私たちの胸中にめざめさせた暗いイマージュと不吉な予感とをあえて語り合おうとはせずに、足取りも重く城に帰った。

その翌日は婚約祝いの日であった。一日中、村人たちの民衆的な椀飯振舞《おうばんぶるまい》がつづいた。牛飼や、羊飼や、厩番《うまやばん》たちが赤や黒の縁取りを刺繍した大きな白いマントを着て中庭で鞭を鳴らし、若い娘たちは赤い長靴を履き、髪に冠のようなものを飾り、白ずくめの衣裳を着て、徹夜で刺繍をした小蒲団《クッション》や面紗《ヴェール》を献上しにやってきていた。村のジプシーたちもやってきて、オーボエや安ヴァイオリンの合奏をした。ジプシーたちはおそろしく出鱈目なうえ、おそろしくグロテスクに身をよじ曲げる弾き方をするので、わが哀れな宮廷楽団長は、皮剝ぎの刑を執行される殉教者よろしくの態でその演奏を聞かされているのであった。料理番たちが誰彼のへだてなく飲物や食物を振舞い、夜になると、この上ない歓びと活気に包まれながら、とはいえいささかも無秩序に走るでもなく、真夜中になるまでダンスがつづくのだった。

この放縦とは無縁の闊達さ、この領主と民衆との間のわけへだてのない親密さは、古代人たちの習俗の素朴さを偲ばせる。悲しいかな、こうした素朴さはわが国では姿を消してすでに久しく、主人側のつれなさと使用人側の猫かぶりや羨望の念に所を変えてしまったのであり、こうして私たちは、今日、周囲いたるところに、最良の大人も、より幸福な子供をも生むことのない、何やらわけの判らぬ平等思想の名において下剋上の精神が擡頭するのを目のあたりにしているのだ……。（原註）

真夜中頃、人びとは銘々寝室に行き、まもなく城全体がすっかり眠りに包まれた。しかしながら、日中の種々《くさぐさ》の疲れにもかかわらず私は眠れなかった。部屋の窓は開いたままであったが、夜は物音ひとつなく静まり返ってかなり暗かった。この日は月の光が射していなかったからである。泉水の蛙のかしましい鳴き声や、ときおり風がかすかに樹々の小枝をゆすぶる音のほかには、庭園の物音は何ひとつ耳に立たなかった。おそらくエリザベートは安らかな眠りについているにちがいなかった。そうだ、数週間もすれば彼女は私の妻となることだろう！　ブードの最上の壁掛けが豪奢に飾られ、フランス王をお泊めしなければならないとでもいうように花模様をあしらった絹物を一面に広げた部屋のなかで、私のすぐ隣にすやすやと眠るエリザベートの寝姿を見ることだろう。

遠くの方で何匹かの犬が吠えた。きっと、キスファルーの街道を通る、帰りの遅くなった村人たちに吠えているのだろう。だが犬の吠える声はしだいに近づいてきて、まもなく城の犬どもま

（原註）　ヴィーユヴェール騎士はここで長々と、彼が貴族の代議員たることを拒否されたあの三部会の委員選挙について語っている。――編者記

でが吠えはじめるのだった。はじめに夜毎中庭に放しておいてある二頭のモロッス犬が声を上げ、それにつづいて、犬舎に入れられている猟犬がいっせいにこれに応じた。そこで私は、起き上がって窓に肱《ひじ》を凭せた。それは、かつて聞いたこともないような、すさまじい唸り声の大合唱であった。突然、この騒ぎが歇み、私は、ひたとばかり眼を暗がりに据えると、何者かに笞打たれたように悲しげな呻き声を上げながら犬舎に戻っていく二匹のモロッス犬を眼にとめた。私は部屋着に袖を通すと拳銃を手に取った。廊下に出ると一陣の風が手にしていた燭台の火を吹き消した。私はそれでも階下に降りていった。すると私と同じように起きてきた伯爵家の猟番たちが洋燈《ランプ》を用意して階下の大広間にやってくるのにぶつかった。私は名を名乗った。扉も閉っていた。変った様子はすこしもないようであった。それなのに犬どもの恐怖の呻きはまだつづいていた。そこで私たちは扉を開けて中庭に出た。私たちの姿を見ると、犬どもは犬舎を出て、わなわなと身を震わせ総毛を逆立てながら庇護をもとめるように私たちの足元に身体をすりつけてきた。

猟番の一人が十字を切りながら呟いた。

「──あそこには何やら悪魔みてえなもんがおりやすだ！」

私はこの猟番の軽々しいかつぎ屋ぶりをたしなめた。銃器に身を固めた城の従僕が何人か私たちに加わっていた。一行は二手に分れ、それから城のなかを巡りあるいたが、何ひとつ異常な気配は見つからなかった。犬どもはようやく吠えるのを歇め、、重苦しい唸り声を上げながら私たちの周りをぐるぐると回った。それから吠え声がだんだんに遠くの方へ退いていくのが聞きとれ、最後に、あたりはもとの静寂に戻った。四時であった。鶏が鳴き、頬には朝の清爽が感じられれはじめた。私はベッドに戻り、ほどなくしてぐっすりと眠り込んでいた。

　コツコツと扉を敲く音で私は眠りから引き出された。伯爵夫人にお目にかかるようにと請いにきた召使いであった。

　なにやら凶事が予感されたので、私はほとんど髪の手入れをする暇もなく、あわてて身づくろいをした。

——昨晩は何かありましたの？」伯爵夫人が急き込んだ調子で訊ねた。

——では何もお耳に入っていないのでしょうか？」私は呆然とした。

——いいえ、何も。夫もですわ」

——でも、犬たちが物凄い騒ぎだったではございませんか！」——ずいぶん見回ってみたのですが、結局何も見つかりませんでした。それでエリザベートは？　目を覚まさなかったのでしょうか？」

——いいえ、あの娘はあなたにお目にかかりたがっております。恐ろしい夢を見たのです。ヴィンダウ男爵が彼女《あれ》の部屋に入ってきて、何か話しかける、そんな気がしたらしいんですの」

——そのような夢の後でエリザベートがどんなに不安な気持に襲われているか、私には分ります。いつかも庭園で……」

——どうか最後までお聞きになって下さいませ。夢のなかで、ヴィンダウは彼女《あれ》に、そなたはかならず自分のものになるだろうと言い、それから寝台の上に身を屈めて、彼女の指から婚約指輪を抜き取ったというのです。今朝から私どもでそこいらじゅう指輪を探しておりますの、指輪が消えてしまったのです！」

　私の血は凍りついた。私たちはエリザベートの部屋に入った。彼女は寝台の上に身を横たえて、私たちの姿を見ると弱々しい微笑みを浮べた。顔にはたいている頰紅を通して、その下に蒼ざめた顔色が透けて見えた。私は彼女の手を接吻《くちづけ》で覆った。

——お坐り下さい、騎士様」と彼女は言った。——鬱《ふさ》ぎ屋の婚約者《フィアンセ》をお持ちになってしまわれましたのね」

　私はその言葉を遮った。

——さあさあ、真昼間から夢の馬鹿げた幻影なんかで滅入ったりして！」

——夢ではございませんでした！　本当に見たのです。ああ！　かりにまだあれが信じられないとしても、私には指輪が失くなっただけでも真実の証拠に充分ですわ……」

　エリザベートはよよとばかりに泣き崩れながら声を上げた。

——騎士様、私の愛する人はあなただけです。それなのに、あなたには、私がぞっとするほど嫌いな恋敵《ライバル》がいて、あれを敵に回して私の身を守って下さらなければなりませんのね！」

IV

　その日の午後は一日中陰鬱であった。昼食の席は誰一人口をきこうとするものもなかった。食卓を離れかけたとき、司祭が私の袖を引いて図書室に引っ張っていった。

——昨夜の出来事をどうご説明されますか？」と司祭が訊ねた。

——ご承知とは思いますが」と私は答えた。——私は幽霊の存在などちっとも信じてはおりません。けれども、実をいえば、あの夜の怪事と関係のあるあの指輪が失くなった一件はどうしても訳がわかりません」

司祭は嗅煙草を一息ぐっと吸い込んだ。

——事件が超自然的な性質のものであることは、私にとっては火を見るよりも明らかです。それはそれとして、私はどちらとも決めかねているのです。ヴィンダウの亡霊が出てきたのか、それとももっと性《たち》の悪い何かが出たのか？」

——しかしこれ以上悪いことがありうるでしょうか？」

——何ですと、ハンガリーにおいでになってから、吸血鬼《ヴァムピール》の話をまだ一度もお聞きになっておいでではないのですか？　これは人間の血を啖おうとして、夜になると墓を抜け出してくる死人どもにつけられた名前です」

私は肩をすくめた。

——あれは老婆たちの迷信なのではないでしょうか」

——ああ！　とんでもないことです。誓いますとも！　あの怪物どもはこの近辺でいえば、ハイドゥーク行政区に跳梁しているのです」

私を納得させるために、司祭は書棚の上から『死後の魔術』（原註）と題する分厚い本を一冊取ってきた。この種の死後蘇生者に関する夥しい数にのぼる実話を精一杯ことこまかに述べ立てた本であったが、私にはそんなものを読む気はまったくなかったので本を閉じた。

夜の近づくのにつれて、城の下男たちは恐怖の色をまざまざと面《おもて》に浮べ、見れば彼らは肩を寄せ合って集り、扉のかげでひそひそと囁き交している様子であった。夕食がすむと、彼らの気持をすこし落ちつかせるために司祭が廊下や部屋のなかに聖水を撒いた。

夜になると、私は八人の猟番とともに中庭の見張りに立ち、ほかに四人が二階の廊下の夜番に当った。全員が覚悟を固め、完全武装していた。

真夜中をすこし回った頃、村の方から犬の吠える声が聞こえてきた。そこで私は松明《たいまつ》に火を点させ、私たちは待機の構えに入った。またしても猟犬どもは、前夜そっくりの何やら恐ろしいものが迫ってくるような恐怖におびえた。

――何も見えはしますめえ」昨夜私がたしなめたあの老猟番が言った。――わしらのすぐそばを通っていくあいつ、この世のものではござりません」

この瞬間、松明の焔が風に強く吹かれたようにいっせいになびいた。私は広間の階段に向って猛然と突進して行き、階段を駆け上った。廊下は暗く、森閑と静まり返っていた。どうしたことか警護の者たちはとうにどこかに消えてしまっていたのだ！　こうして私は真暗闇のなかをエリザベートの部屋に急いだ。気が狂ったように扉を乱打したが、何の応答もなかった。伯爵が自分の離れから燭台を手に、すっかり身仕度を整え、完全武装をした姿でやってきた。その蠟燭の明

（原註）　おそらく一七〇六年オルミッツで印刷された、シャルル・フェルディナン・ド・シュルツ著の『死後の魔術』であるにちがいない。――編者記

りで、猟番たちが火の消えた松明を傍らに椅子の上でぐっすりと眠り込んでいるのが判った。私は彼らをゆり起そうとした。

――時間の無駄です。あなたの婚約者の部屋に入りましょう」と伯爵が言った。

扉は鍵が掛っていた。二人の力を合わせると首尾よく錠前が飛んだ。

見ればベッドは滅茶滅茶に乱れ、敷布は床まで垂れてくしゃくしゃになっていた。エリザベートは、髪をふり乱し、肩をむき出しにして、死人のように蒼ざめた顔で横たわっていた。私たちは彼女の名を呼んだが、エリザベートを眠りから引き離すことはできなかった。

――気絶しているのです」と伯爵が言った。

――傍についていておやりなさい。私は医者を迎えにやらせましょう」

伯爵は出て行った。私は婚約者の純潔な額に接吻《くちづけ》をしようとしたが、突然、枕の血の汚点《しみ》が目にとまり、頸の赤みがかった咬《か》み傷に気がついて恐ろしい戦慄にとらえられた。司祭の言っていた吸血鬼の話は嘘ではなかったのか、そうでなければ私は一体どんな忌わしい幻に弄ばれているというのか？

伯爵が恐ろしさに慄えている女たちを何人か連れてやってきた。

エリザベートの心臓は動悸を打ち、かすかな息が胸を波立たせていた。女たちが気付薬を嗅がせ、こめかみに酢をすりこんだ。私には一世紀もつづくように思われた介抱の後で彼女はようやく意識を取り戻したが、それは見るからに錯乱した様子で支離滅裂の言葉を発するためであった。

――あの人がまたやってきたの」と彼女は言った。――また私を探しにきたの。あの人はお墓で私を待っている。あの人は私の血をすっかり飲んでしまうでしょう。あの人が怖い。あの人が嫌で仕様がないのに、それでいて言うことをきかないわけにはいかないの。でも私の心はいつまでも騎士様に忠実ですわ。神様がご存知でいらっしゃる！」

エリザベートはまたもや気絶した。とこうするうちに医者が司祭と一緒にやってきた。

――天の御名にかけて」と私は叫んだ。――仰言って下さい、一体、彼女の病気は自然の病気なのか、それとも地獄からきた呪いなのか？」

――まず、意識を戻すのが先決です」医者は答えた。――気絶してからかなり経ちましたか？」

――いいえ、ほんのすこし前です。もっとも、気を失ったのはこれが二度目ですが」

医者は長い間エリザベートの容態を聴診していたが、それから立ち上がって診断を下した。

――どこといって悪い器官があるようには見えませんが、この若い娘《かた》はまるで怪我をして大量に血を流した人のようですね。さあ、これから気を取り戻しますよ」

医者はエリザベートに気付薬を数滴投薬した。エリザベートの顔には生気が蘇ってきたようだったが、その眼差しにはなおも得体の知れない恐怖の色が消えていなかった。唇が動き、エリザベートは私の手をとって、はじめて私の名を呼びながらまわらぬ口で喋った。

――シャルル、私を守って下さいね、あの人の手から守って下さいね！」

それからエリザベートは夥しい涙を流した。医者は彼女の頭を支えて、間をおいて一口ずつ気付薬を飲ませた。やがて悪寒はおさまったように思われ、瞼がゆっくりと下りて呼吸は平静になった。医者は私たちに口をつぐんで部屋を引き取るように手真似で命じた。

――眠っています、そっとしておいて上げましょう。つきそいは私がいたします」

もう日が高くなっていたので、女たちが鎧扉《よろいど》を閉め、私たちは伯爵夫人を除いて部屋を出た。

司祭が私の腕をとって、部屋までつきそってきてくれた。

――すこし眠るようにした方がよろしい」と司祭は私に命じた。

――当家の御主人に委せておきなさい。神の御加護を藉りて、私たちは彼女をあの怪物の企みから救うでしょう」

＊

しかし司祭が私に落ち着くように命じても詮ないことであった。私はすっかり身支度を整え、靴を履いたままベッドに横になって物音という物音に耳ざとく注意していたが、中庭に鈴の音を聞くとほとんど咄嗟に起き上り、司祭と伯爵が馬車に乗るのを見た。馬車は全速力でヴァザルエリイ街道の方へ走っていった。

その日の午前中、私は二度か三度エリザベートの部屋まで行った。つきっきりになっている伯爵夫人と医者は、なかば開いた扉の蔭からそっと様子を窺わせてくれた。エリザベートはいまやぐっすりと眠り込んでいたが、脈搏《プイヨン》はひどく弱々しくて不規則だった。十一時頃に目を覚まして飲み物を欲しがり、匙《スプーン》に数杯肉汁を摂るとまた眠りに落ちた。

――この睡眠はどんな薬よりも効き目があります」医者がそんな風に請け合った。

正午の鐘が鳴ると、多勢の騎兵を従えた三台の馬車が玄関階段の前に横づけになり、土埃を真白にかぶったエルデリィイ伯爵と司祭、ついで多数の人びとが降り立った。真直ぐに私のところにやってきた司祭の口から、それがヴァザァルエリイの司教と大法官、王選公証人、それに数人の行政官と県《コミタ》の官吏であることがわかった。

昼食の食卓《テーブル》についたところへ、さらにハンガリー民兵の騎馬隊が到着した。大法官付将校の一人が一隊に即刻キスファルー墓地の警備に向うように命じた。道案内のために一人の男が差し回され、一隊はただちに回れ右をした。こうしている間にも中庭では下男たちがせっせと木材を二輪馬車に積み込んでいた。まもなく家令がやってきて、伯爵に準備万端が整ったことを告げた。

――よろしい！　手の者を連れて先発しなさい。私たちもすぐに後から追いつく」

食事が大急ぎで済まされると司教が祝福を授け、一行は出発した。

墓地にたどりつくすこし手前で、かなり樹木の密生している、生垣に両側を囲まれた、いくぶん谷になった小径を通らなければならなかった。私たちがこの道に入ったとき、銃声が一発轟然と鳴り響いた。弾丸は風圧がそれとわかるほど私の頭すれすれのところをかすめ、私の馬はおびえて棒立ちになった。私は二、三人の騎兵を従えて平地に駆け上った。私たちは全速力で、逃げようとしている一人の男に追いついた。男は捕まえられると顔を此方《こちら》に見せたが、このとき私は男がヴィンダウのボスニア人の従僕であることに気がついた。男は気違いのように短刀をふりかざして私に飛びかかってきたが、刃は長靴の革の上を滑り、私は拳銃の一撃で彼の脳天を打ち砕いた。

私たちは墓地に着いた。一行が探していたキスファルーの司祭は司教に挨拶をしようとしたが、大法官がその話の腰を折った。

——ヴィンダウ男爵の墓に案内していただきたい」

それは、墓地の外れにひとつだけポツンと離れている墓であった。私は十字架が地面すれすれのところで折られているのに気がついた。

衛兵たちが方陣を作って周りを囲んだ。王選公証人が、故男爵コルネリウス・ド・ヴィンダウの遺体は吸血鬼の嫌疑により曝かれるべしとの裁可書を読み上げた。鶴嘴《つるはし》とシャベルを手にした百姓が四人、傍に連れて行かれて穴を掘りはじめた。地面は乾いてこちこちに固まっていたので、掘り了えるまでにはかなり長い時間がかかった。つづいて綱を使って柩が引き上げられた。司教の助任司祭の一人が祈禱を唱え、聖水を撒いた。柩の蓋が跳ね開けられ、ヴィンダウの屍体が居合わせたすべての人びとの前に立ち現われた。それは六箇月前に埋められた屍体が当然そうあるべきであるような様子は微塵もなくて、見たところ眠っている人間の肉体そっくりのみずみずしい健康な姿をしていて、顔色は血色も鮮かであった。

大法官はこれらの事実を公証人を通じて記録文書に収めさせ、それからヴィンダウの屍体は柩から引き出されて地面の上に置かれた。二人の衛兵が鋭く尖った猪槍を手にして進み出ると、これを空中高く振りかざし、二人分の力をこめて吸血鬼の心臓のあたりに発止とばかり打ち込んだ。

この瞬間、私は、たとえ私が千年の間生き永らえたとしても決して忘れることのできないものを見たのである。それは、百人もの人間が私と同じように証人として現場に立ち合っているのでなかったとしたら、おそらく信じられない光景と思われたであろう。夥しい血が、生きている人間に加えられた傷の血さながらどっとばかりに迸り、並居る人びとの恐怖の真只中で、ヴィンダウはカッと両眼を見開くと、高笑いをしながら、おれが夜出歩くときに犬どもを追っ払うための棒切れをこうして頂戴できたとはまことにかたじけない、と言った。

司教が口を開いて宣告を下した。祝福に浄められた大地はこの者を手許に置くことを欲せざるがゆえに、また吸血鬼はキリスト教徒の間で永の眠りにつくことを禁じられているがゆえに、余はこの屍体を世俗裁判所に引渡すであろう。司教に続いて、王選公証人がすでに用意してあったもうひとつの判決書を読み上げた。彼が判決書にしたがって語るところによれば、故ヴィンダウ男爵の遺体はまごう方ない吸血鬼であると確認され、よってここに火刑に処せられて、遺灰は空中に撒布されるであろう。

この言葉を聞くと、吸血鬼は威嚇するような身振りで片腕を上げた。私はその小指にエリザベートに贈った婚約指輪を見た。私は前に出た。だが司祭に腕をとられた。

――あの指輪を取り戻すのはお控えなされ。指輪も火にかけなければならないのです」

このとき死刑の執行人が手の者を連れて到着した。彼らが屍体をふたたび柩に収めて、二輪馬車に載せた。ハンガリー民兵の一隊が周囲を固めて行進した。キスファルーの村人たちは近寄ろうとせずに遠巻きになって見守っていた。

村の広場に火刑場の用意ができ、ヴィンダウが置かれると死刑執行人が火打石を打って麻屑の束に火をつけた。薪木《たきぎ》はよく乾いていて脂気をたっぷり含んでいたので、ほとんどあっというまに巨大な炎がめらめらと燃え上がった。吸血鬼は物凄い叫び声をあげ、なおも何度か身動きをしたが、火の手が熾《おこ》ってついに完全に焼きつくされた。火が消えると灰が撒き散らされた。つづいて公証人が調書に私たちの署名をもとめ、一行は夕刻七時に聖ミクロス城に帰りついた。

衣服の埃を払う間もなく、私たちは階上の伯爵夫人の許へ昇っていった。医者は憂慮の面持を見せた。エリザベートは熱に浮かされてひどく昂奮していた。夕刻四時頃、エリザベートは不思議な譫妄状態に冒されて、その間中、彼女は私たちが墓場でやったことを一部始終目撃しているように喋りつづけていたのだった。ついでこの異常な昂揚状態はふいに歇み、不幸な娘は牛乳を一口飲むのがやっとというほどの極度の疲労に身をゆだねたのであった。この有能な医者は徹夜をするからとつけ加え、室内に野営用のベッドを用意してはくれまいかと請うた。医者、司祭、私の三人は、こぞってわが婚約者に徹夜でつきそうことに一致した。私は階下に降りて夕食の席に加わる気力もなかった。

客人たちが帰途についてから伯爵夫人が私に打ち明けたところによると、自分も涙を見せまいとするだけで精一杯だった、ということであった。

エリザベートは眠っていた。彼女の顔は大理石の白と不動に装われていたが、眼は菫色の翳に隈どられ、頸の上には吸血鬼が残していった徴《しるし》がはや蒼みがかっていた。真夜中近くなって彼女は目を覚まし、私のいるのに気付いて微笑みを浮べた。

——生きのびられるとお思いになりまして?」エリザベートは医者に訊ねた。

——勿論ですとも、心配されることなどちっともない。もうあの怪物を怖がる必要はありません。二、三日お休みになればすっかり元気になりますよ」

　エリザベートは首を振って呟いた。

——私が死んだら、騎士様は私のことなどお忘れになってしまうかしら？」

私は彼女の手を涙で包みながら叫んだ。

——癒るのですよ、エリザベート。癒って私の妻になるのです！」

　エリザベートはそれから折入って司祭と話がしたいという身振りをし、私たちは席を外した。しばらくすると、司祭が私たちのところにやってきて、私の婚約者の唯一の願いというのは、死ぬ前に結婚の秘蹟によって私と結ばれることだ、と私に言うのであった。私はすぐさま、それこそは自分にとってもっとも望ましい願いだと答えた。悲しいかな、看護の医者は、もはや彼女を助ける手段《てだて》とてはないと私に打ち明けていたのである。伯爵夫妻はそこで式の準備を急がせた。回廊の中程に豪奢に飾り立てた新床の用意がはじめられたが、医者はエリザベートを動かすことを許さなかった。そのために司祭がその夜彼女の部屋にきて私たちを結婚させることになった。扉という扉が開け放たれ、従僕たちが廊下に押し犇めき、しきりに抑えかねた啜り泣きが聞こえた。司祭が私の妻となることを望むかと問うと、エリザベートはかなりしっかりした声でこれに答え、私の番がきて、私が然《ウィ》りと答えると、このとき、彼女の熱にキラキラと輝いた眼にほとんど天使のような表情がひろがった。私たちの周囲では誰も彼もがいっせいに泣いていた。だが、おそらくすでに彼女の眼はもはやこの世の悲しみの種々《くさぐさ》を見てはいなかったであろう。

　エリザベートはその夜一睡もせずに過した。彼女はありたけの燭台に明りを点してくれるようにと請うた。そう思いたくはなかったが、私は、すでに通夜がはじまっているのだという考えを抑えかねた。エリザベートは彼女の指の間に私の腕を弱々しく握って言った。

――夜が明けるまでは死にたくありません」

だが、燭台の灯《あかり》はすでに夜明の光に白みはじめていた。彼女は、窓をいっぱいに開け放してくれるようにと身振りで私に示すと光に向って両手をさし伸べ、それから私にすでに氷のように冷たくなった唇を授けた。

この接吻《くちづけ》のさなかにエリザベートは息絶《ことき》れたのだった。

数日間というもの、私は、身の回りのすべてのものが完全に眼中にない有様で過した。分別を気遣われたことも一再ならなかった。それから、私はエリザベートの追憶に耽って憂愁にみちた甘美な心持に浸るようになり、エリザベートの部屋に閉じ籠って彼女の肖像画に眺め入っては時《と》間《き》を過すのだった。

悲しいかな伯爵夫人のお伴をしてエリザベートの墓に参じようと思い立つ日がくるまで、私には彼女が永遠に失われてしまったとはどうしても思えなかった。このときはじめて、私の精神は死の恐ろしいイマージュに彩られたのである。エリザベートの想い出につながるすべてのものが、私を慰めてくれるどころか、苦悩を強め、喪失をいやが上にも残酷に感じさせるのだった。私は、一千七百五十九年四月、フランスに向けて旅立った……。

騎士ヴィーユヴェールの回想はここで終っている。その後彼は再婚をせず、モンターニュ・ノワールの山の中腹なるヴィーユヴェール城に隠棲した。彼が回想録の執筆を企てたのは一千七百八十九年のことであった。しかし計画はそれほど渉らぬままに終った。一千七百九十三年、彼は、スペイン亡命を望んだが、ピレネー山脈モンルイの街道で暗殺された。

グスラ（抄）

プロスペル・メリメ
根津憲三訳

ジャンノ

一

ジャンノは町に帰らねばならなかった。それには、夜、墓場を通りすぎなければならなかった。ところで、彼は女よりも意気地ない臆病者であったので、熱病にでも罹ったかのように、ぶるぶると慄えていた。

二

墓場を通りながら、彼は左右を見渡した。すると、誰かが物をかじっているような物音が聞えて来た。彼はブリュコラック(1)が墓のなかで何か食べているのだろうと思った。

三

――さあ、困った、と彼は言った、もしあいつに見つかりでもしたら最後、喰われてしまうだろう。何しろ僕はこんなに肥っているのだもの。これはどうしても墓場の土を食べなければなるまい(2)。さもなくば、こちらの方で食べられてしまう。

四

そこで、彼は土を取るためにかがんだ。ところが、今まで羊の骨をかじっていた犬は、ジャンノがその骨を取り上げるとでも思ったのか、彼の足に跳びついて、血の流れ出すまでかじりついて離さなかった。

（原註）1 吸血鬼の一種。
2 かかる予防法は広く用いられていて、極めて有効だとされている。

コンスタンチン・ヤクボヴィッチ

一

今しも、コンスタンチン・ヤクボヴィッチは、戸口の前の長椅子に腰を下していた。彼の前では、息子が洋刀《サーベル》を玩び、その足もとでは妻のミリアダが地面にうずくまっていた(1)。その時、見知らぬ一人の男が森の中から現れて、彼に手を伸ばし、挨拶をした。

二

この見知らぬ男は、顔こそ若々しかったが、髪は真っ白、眼付きは陰惨、頬は落ちこけ、歩む足どりはよろめいていた。彼は言った、《兄弟よ、私は喉が渇いてならないのだ。水が飲みたくて仕方がないのだ》それを聞くと、ミリアダは立ち上った。そして、直ぐさま火酒と牛乳を運んで来て、彼に与えた。

三

――《兄弟よ。彼処に見える蒼々とした樹の茂った丘は何ですか》コンスタンチン・ヤクボヴィッチは言った、——《私たちの祖先のお墓を御存じないとは、さてはあなたは初めてこの地にお越しの方と見えますな》《そうか。何とかして、あの丘の上で憩いたいものだ。どうやら私の末期もだんだん近づいているような気がする》

四

そう言って、彼は太い真っ赤な帯を解いて、血みどろな傷口を見せるのであった。《昨日から、私はある異教徒のために胸を射ち抜かれて、生死の境を彷徨《さまよ》っているのだ》そこで、ミリアダは彼を支え、コンスタンチン・ヤクボヴィッチはその傷口を調べた。

五

《私の生涯は悲惨であった。実に悲惨であった。死もまた悲惨なことであろう。それにしても、あの丘の頂、陽に照らされたあたりに葬られたいものだ。なぜなら、私の剣がまだこの手に重すぎなかった頃には、私は立派な武者であったもの》

六

それから、彼の口は微笑み、その眼は眼窠から飛び出した。と思う間もなく、彼はがくりと首を垂れた。ミリアダは叫んだ。《さあ、コンスタンチンよ。手をかして下さいな。この方はとても重くて、私一人の力では支え切れませぬ》そして、コンスタンチンは彼が死んでいることを知った。

七

やがて、コンスタンチンはこの見知らぬ男を馬につけ、墓地へ運んだ。然し、羅典《ラテン》の土地がその地中に異端者の希臘人《ギリシア》を葬られて、果して黙っていようかなどということは、ついぞ気にかけなかった(2)。彼らは日向に墓穴をほって、この見知らぬ人の亡骸《なきがら》を、如何にも武人にふさわしいように、洋刀《サーベル》と短刀《ハンザル》とを添えながら、葬ったのである。

八

ところが、それから一週間たった或る日のこと、コンスタンチンの愛児の唇が死人のように蒼ざめ、殆ど彼は歩行さえ出来兼ねる有様であった。あれほどあちこちと駆け廻ってばかりいた愛児が、沈みかえって、莚の上に寝ついていた。然し、天帝はコンスタンチンの家にその隣人である行者をつかわしたのである。

九

《あなたの御子息は奇妙な病に取りつかれておられる。それ、この真っ白な頸筋についている赤い斑点《しみ》を御覧なさい。これは吸血鬼の歯の痕です》そういって、行者は魔書を袋の中にしまい込むと、墓地へと急いだ。そして、見知らぬ男の葬られている墓穴を掘りかえさせたのである。

一〇

すると、どうであろう、彼の肉体は未だに生々と、なまなましかった。その髭は伸び、爪は猛禽の爪のように長く、口は血にまみれ、墓穴は血で漲っていた。そこで、コンスタンチンは一本の杭を取り上げて、これをその死骸に刺し込もうとした。ところが、死人は叫び声を立てて林の中に逃げ隠れてしまった。

一一

鐙(3)をかけられた馬も、この怪物ほど遠く走れまい。その激烈さは、彼の身体にひしがれて若い木々は撓み、太い枝という枝は、さながら霜枯れにでもあったように、へし折れてしまったほどである。

一二

行者は墓穴の中の血と土とを摑み、それで子供の身体を擦った。コンスタンチンとミリアダも同じようにやった。夕になって、彼らは語り合った、《あの嫌な見知らぬ男が死んだのは丁度今時分だった》そう彼が言ったときに、犬が吠え出し、主の足の間に隠れた。

一三

戸口は開かれた。一人の巨漢が背をかがめながら家の中に入って来た。その男は足を組んで腰を下したのであるが、頭は家の梁にまでとどいた。彼は微笑みながらコンスタンチンを見つめた。コンスタンチンは眼をそむけることが出来なかった。彼はこの吸血鬼のために凝っと見据えられてしまったのである。

一四

だが、行者は魔書を開いた。そして、迷迭香《まんねんろう》の一枝を火中にくべ、それに息を吹きかけながら煙を怪物の方へと吹きやり、イエスの名に於て、それを祓いのけた。間もなく、吸血鬼は慄え上り、さながら猟人に追いかけられた狼のように、戸口から逃げ去ってしまった。

一五

その翌日も、同じ時刻に犬が吠え、戸口が開かれ、一人の男が家に入り込んで、腰を下した。背の丈は兵士くらいもあり、眼は常にコンスタンチンの眼の上に注がれ、それを凝っと見据えていた。だが、行者が彼を祓ったので、彼は何処ともなく逃れ去ってしまった。

一六

そのまた翌日、一人の小人が彼の家に入って来た。鼠でさえ、彼には乗馬の役をなし得たことであろう。だが、その眼は二つの松火《たいまつ》のように炯々と輝き、その眼差しは不吉であった。然し、行者はこれを三度祓い退けたので、彼は永遠に逃げ失せてしまった。

（原註）1　モルラック人の家庭は、家の中に寝台が一つあるような場合には、夫が寝台にねて、妻が床の上に寝る。この国では女は軽蔑の目を以って取り扱われているが、これこそ正にこうした男尊女卑を証明する多くの証拠の中の一つである。夫が他人の前で妻の名をよぶときは、きっと次のような言葉をつけ加える、Da, prostite, moya jena（失礼ながら、私の妻です）。

2　ギリシア人が羅典の墓地に埋葬されると、吸血鬼になる。その逆の場合もあり得る。

3　トルコの鐙は平で、短靴のような恰好をしており、縁が鋭利なので、拍車の役をする。

吸血鬼カラ・アリ

一

カラ・アリは黄色い川(1)を渡って、バジル・カイミスの家の方へと上って行き、彼の家に泊った。

二

バジル・カイミスには美しい妻があり、名をジュメリといった。彼女はカラ・アリを見て、彼が好きになってしまった。

三

カラ・アリは見事な毛皮を身に纏い、黄金造りの武器を持っていたが、バジルは貧しかった。

四

ジュメリはこれらの凡ての財宝に心を惹かれたのであった。なぜなら、多くの黄金に対して目の眩まぬ女が果しているであろうか。

五

カラ・アリはこの不実な妻をなぐさんでから、彼女を自分の所に、異教徒のもとに連れて行こうかと思った。

六

そして、ジュメリも彼と共に行くといった。全く夫婦の床よりは、不実な男のハレムを好む邪《よこしま》な女である。

七

カラ・アリは彼女の華奢な身体を抱いて、十一月の雲のように真っ白な美しい馬の前の方に乗せてやった。

八

バジルよ。お前は何処にいるのだ。お前が家に迎えてやったカラ・アリはお前があんなにも愛している妻のジュメリを奪うのだ。

九

彼は黄色い川のほとりまで走って行き、今や白馬に跨って川を渡る二人の不実者を見つけた。

一〇

彼は象牙と赤い総《ふさ》で飾られた美しい銃(2)を手に取るや、彼らを目がけて射った。すると、見る間にカラ・アリは馬上でよろめいた。

一一

≫――ジュメリよ、ジュメリ、あなたの愛は私に非常な犠牲を払わせたのです。異教徒のために、私は殺されました。そして、あなたも殺されようとしています。

一二

≫そこで、あなたの命を救うために、貴重な護符をあげましょう。それさえあれば、あなたの命は救われます。

一三

≫光沢《つや》のある赤い革製の弾薬盒(3)の中のアルコランをお持ちなさい。このアルコランを繙くものは誰でも金持になり、女からもてはやされるのです。

一四

》この書を持つものは、どうか第六十六頁をお開きなさい。その人は水陸のありとあらゆる精を指揮することになるのです》

一五

そう語るや、彼は黄色い川の中に落込んだ。その死骸《なきがら》は、水面に赤い濁りを残しながら、漂っていた。

一六

バジル・カイミスは駈けつけた。彼は馬の轡を握ったまま、腕を振り上げ、妻を殺そうとした。

一七

》――命だけは助けて下さい。バジル。そうすれば、私はあなたに貴重な護符をあげましょう。これさえあれば、誰でも金持になり、女からもてはやされるというのです。

一八

》この書を持つものは、どうか第六十六頁(4)をお開きなさい。その人は水陸のありとあらゆる精を指揮することになるのです》

一九

バジルは不貞の妻を赦した。そして、凡そキリスト教信者であるならば、身の毛をよだてて、火中に投じたに違いない書を、彼は受取ったのであった。

二〇

やがて、夜になった。大風がまき起り、黄色い川は氾濫し、カラ・アリの死骸《なきがら》は岸辺に打上げられた。

二一

バジルはこの邪悪な書の第六十六頁を開いた。すると、突如として、大地が震え、恐るべき一大音響と共に、大地に亀裂が生じた。

二二

妖怪が大地を割って現れた。それはカラ・アリであった。《――バジル、君は自分の神を見棄ててしまった以上、君は最早俺のものだ》

二三

妖怪はこの不幸な男を捕え、その頸静脈に噛みつき、その血潮が涸れ果てるまでは離れようとしなかった。

二四

この物語を語ったのはニコラス・コシェヴィッチ。彼はこれをジュメリの祖母から聞き伝えたのである。

（原註）1 恐らく、秋になると水が黄色くなるザマルガ河のことであろう。
2 こうした装飾は屢々オーストリーやトルコの銃に見られる。
3 回教徒たちは、先ず誰でもといってよいくらい、赤革の小さな弾薬盒の中にアルコランを持っている。
4 六十六という数字は魔除けには効能顕著と考えられている。

吸血鬼

ジョン・ポリドリ
佐藤春夫訳

時正に倫敦《ロンドン》に於ては冬期の宴会騒ぎが今を盛りの真最中、いつもながら当代流行の魁を行かうといふ連中が先きに立つて彼方此方でさまざまな宴会を催してゐる折から偶その中へ一人の貴族が現れた。貴族とは云へ、彼はそんな身分よりも寧ろ一風変り者だといふ点で人目を惹いてゐた。面白可笑しい周囲の歓楽の中に雑りながら自分だけはそんな仲間に加はることは出来ないと云つたやうな様子をなしてただ四下《あたり》のさざめきにじつと見惚れてゐるのであつた。彼のこんな様子が、思慮分別などはさらりと棄ててただもうたわいもない歓楽に酔ひ痴れた人達の胸に怖気《おぞけ》を与へたことは云ふまでもない。女達などは彼に一と目ぢろりと見られると鳴りをひそめてしまふ程であつたがその実彼が陽気な女の笑声などに気を配つてゐるこの態度には、見たところ傍にそんな思ひをさせたいと努めてしてゐるやうなところもないではなかつた。しかしこんな畏怖に打たれた人達も、それが果して彼のどんな点から来るものかそれをはつきり説明することは出来なかつた。或者はそれは死人のやうな灰色の彼の眼——相手の顔をしげしげ打戍《まも》る時の、それはしかし別段骨身に応えるほどの眼付でもなかつたし、またたつた一目で相手の腹の底を見破るといふ程のものとも思はれなかつたが、しかし何となく肌に重たく圧しかかる鉛色の光を放つて頬に浴せかけられるあの眼のせゐだと云つたものもあつた。とにかく一風変りものであるがために、彼は方々の家へ招かれて行つた。人々は皆彼を見たがり、又強烈な刺戟に慣れて今では退屈の重さに耐へかねてゐる人達は、現前に注意を惹くに足るものの出来たのを喜んだ。その死人のやうな濁つた彼の顔色は曾て羞恥の心からも心頭に発した激情のためにも血の気ひとつ上つたことはあるまいと思はれる色合はしてゐたけれど、しかし目鼻立ちや輪郭はさすがに美しかつたので許多の浮気女どもはその道に名うてな誰れ彼れに倣つてひとつ彼の気を引いて見てやろう、せめては情のそぶりぐらゐでもいいから彼からせしめてくれようと企てた。マーサー夫人——結婚以来客間に現はれてこの奇異な人物の愚弄の的になつてゐた例のマーサー夫人ごときも大分それに肩を入れてひとつ香具師《やし》の衣裳を着て彼の気を引いて見ようとした。……が御苦労千万……と云ふのは彼女はそれを身につけて彼の前に立つた時彼の目は明らかに彼女の目と見合したものであつたのに、それでも彼は彼女を認めぬ体であつた。……さすがに物怖ぢしない図々し屋もこれには角を折つて降参してしまつた。勿論普通ざらにある男たらしの女などは彼を見向かせることさへ出来なかつたのは云ふまでもない。しかし、さらば彼は女といふものに対してまるで無関心であつたかと云ふに決してさに非ず。貞淑な人妻やまだ何も知らぬうぶな生娘などに対すると非常に慎重なとりなしで話をしてゐた。ただ彼はさう云ふ女たちに対しても、自分からは話しかけなかつた。けれども喋らせてみればその弁舌はどうしてなかなか人を惹きつけるものがあるとの評判であつた。それは弁舌が特異な彼の怖ろしい性格を抑制したがためか、或は悪徳を忌む彼の著しい嫌悪感が聞くものをして感動せしむるの故か。何れにしても彼は、女の家庭生活を悪徳を以て汚す男達の中にも交はつてゐたと同時に、家庭的な淑徳を身の誇りとしてゐる婦人達の仲間にも加はつてゐたのである。

これと時を同じくして、恰もこの頃同じく倫敦へオーブレイといふ少年の紳士がやつて来た。彼はたつた一人の妹と早くに親に死に別れた身なし児で、子供の時分に世を去つた両親が遺して置いてくれた巨額の財産を持つてゐる人物であつた。その財産を何くれとなく世話することを主人に対する唯一の忠義立と心得てゐる後見人がいまだに彼には幾人もついてゐて、その後見人たちに彼は金動で働く家の子たちの世話責任を一切まかせてゐるうちに、次でに彼は分別を養ふことより、どちらかと云ふと、あの婦人帽子屋の見習職人には禁物だといふ廉恥と公明との信念に富む浪漫的精神を養ふやうになつて行つた。彼は万人を救ふものは徳望だと信じてゐた。世の中の悪徳などゝいふものは、あれは小説によくあるが如く、神がこの世の色どりにもと下し置かれたものだと考へてゐた。われ〳〵人間の住んでゐるいぶせき小屋のみじめさは着物で云へば胴着のやうなもので、暖を取りさへすれば事足れりとすべきもの。しかもその皺だらけな襞や色とりどりな継ぎ当ては画匠の見界によつて都合よく美化されてゐるのだと彼は考へてゐた。要するに彼は、詩人の夢が人生の現実であると考へてゐたのである。彼は男振りよく、竹を割つたやうな気立、その上に金はあると来た。こんなわけ合ひだから、彼が陽気な空気のなかへ入つて行つたりすると、方々の母親たちが彼を取囲んで、うちの娘は物憂れたげな落着いた娘だことの、うちのは少しお転婆だことのと、あることないこと搗き交ぜて喋り出す。娘達の方はまた冴え冴えとした顔つきで彼に近づき、彼が口を開きでもすると、瞳を耀かせて彼の才幹美質とは見当外れた見界へ引込んでしまふのであつた。もと孤独を好み孤独の時の空想を愛する彼ではあつたけれど、このやうな次第でこのごろやうやく牛脂や蜜蠟の蠟燭の灯のまたたき——それとて別に幽霊が出るからといふ訳でもなく、たゞ芯を切らなかつたからまたゝくのであるがこの揺曳する灯影の間にゐるのが精々でこの世の中には、日頃自分が勉強した書物の中の記述や面白いと思つた画などいかほど積み重ねてみても現実世界に於ては何等の根拠もなかつたことに気づいて礑《はた》と愕いてしまつた。しかし彼は己れの増長するに任せた自尊心のうちにその補ひを求めて儚い夢の一切を断念しようとした。その矢先に、彼の出世の道で出会つたのがこの物語の初めに於て述べたあの不可思議な一人物である。

彼はあの人物をまじ〳〵と打眺めてみたが、体のうちにすべて吸収し尽してゐるものか外部には殆どしるしらしいものを現はしてゐないこの人物の性格に対して彼は観念らしい観念を捉へることが出来なかつた。この事実は双方暗黙の間に認め合ふと云ふより、寧ろ双方の接触を避けしめると云つた意味合ひを含んでゐた。そこで彼は例の如き傾向の想像を馳せて好んで途方もない考へをいろいろ描いてゐるうちに、やがて彼は相手を一個のロオマンスの中の主人公に仕立てゝさて自分の目の前のこの人をといふよりも寧ろ自分の空想の栄え行く果を見究めようと決心をした。彼は次第にその人と近づきになり、さうしてその間、怠《おこたり》なき注意をこの人に払つて彼の知遇を得るために努めたので、相手の態度だけはいつも見逃さないだけになつた。そのうちに彼は相手のルスヴン卿がどうやらこつちを煙たがつてゐるらしい様子にぼつぼつ気がついて来た。やがて或る日——街で支度の覚え書きを見たことから、その人が旅に出掛けようとしてゐるのを知つた。そこで彼は今まではほんの自分の好奇心を煽つてゐたに過ぎないこの不可解な人物に関して何か知識を得るよすがになると喜び勇んで早速後見人の許へ自分は今度旅に出かけることになつたからと、事に託して暗に通告をしてやつた――無論この頃は若者たちをして年寄連と対等にならせるには悪い事も大駆け足で体験させるために、さうして醜悪な密通事件の際に、示された手際の程度如何に従つて冗談や賞讃の主題として話される場合に、いつも彼等若者をして恰も空から落ちて来たかのやうに振舞ふことなからしめんがために旅行は必要なものとして数代の間考へられてゐたので後見人たちは直ぐに承知した。そこでオーブレイは早速ルスヴン卿にその意嚮を述べた。ところが驚いたことには、卿の方から是非とも彼に同行して欲しいとの申出があつたのである。明らかに誰が見ても常人とは同一視出来ぬ卿の如き人物から見込まれたのだから彼はすつかり喜んでそれを受諾し、さて日ならずして彼等は逆巻く潮路へ出で向つた。

今までオーブレイはおち〳〵とルスヴン卿の性格を研究する機会とてはなかつたのであつたが今度といふ今度彼は初めて分つた。いろ〳〵な行状が彼の目の前に曝露された。彼の行為の動機はその結果からこれを見ると、大分違つた結論を与へられてゐた。この同行者の磊落虚坦な点である。それは実に大雑把であつた。……怠堕無頼の徒や浮浪の輩は、己れの当座の饑餓を満たすに充分以上のものを彼の手から獲ることは出来た。けれどもこれは徳義心から出たものではなささうであつた。言ふまでもなく打続く不幸の為めに徳に厚い人の身にも赤貧の見舞ふ例はいくらでもあることなのに、然しオーブレイは彼が施物を与へるのは徳にさへも附き纏ふ不幸のために貧窮に陥つた有徳者に対してではないのだと考へざるを得なかつた。それらの施物は圧へ切れる侮蔑の窓口から投げ与へられたのであつたと考へざるを得なかつた。がそれに反して道楽者などが困窮から逃れんがためではなく道楽に耽つたりまたは益々邪道に深入したりせんがためにならば、この人は非常に金目な施与物を持たされて帰つた。それを彼は一般に有徳な貧者の内気な羞恥よりは道楽者の厚かましさの方が力強いからだと倣していた。只こゝに一つルスヴン卿の慈悲についてオーブレイが心に深く感銘した事柄があつた。それはこの人から慈悲をかけられたものにとつてはその慈悲が一つの殃《わざわい》になるだらう事を必然に認めねばならなかつた。なぜかといふに彼等はやがては断頭台に導かれて行くか最も低い最も浅間しい不幸に沈むかの孰れかであるからである。つぎつぎにオーブレイの驚いたことには、ブラッセルやそのほか行く先き先きの町へ着くと、先づ第一にルスヴン卿がその土地で目下流行している道楽といふ道楽を悉く鵜の目鷹の目になつて漁り歩くことであつた。彼は folo（一種のカルタ賭博、我国で「ギンカウ」と称するものに相当するものなるべし）の本場へ行つてはその卓に坐つた。彼は賭けた。さうして土地で名高いすばしこい女が相手に廻つていなければ彼はいつも勝つた。しかしさう云ふ女が敵に廻つてゐるときつと敗けた。金以上のものをスッテしまふのがきまりであつた。だが彼はどんな場合でも顔色だけは、あのいつも社交界を睨め廻してゐた顔色だけは決して崩さなかつた。ところが年の若い無分別な新参者だとか大勢の家族を背負つてゐながら勝負運に恵まれない一家の主人などに出逢ふと、その顔つきはがらりと打つて変つて、彼の願いは望み次第、まるで運命の掟でも見るかのやうに百発百中、逸れることゝてなかつた。……この虚心な心の状態が罷《や》むと、彼の両眼は半死半生の鼠を嬲る猫の眼よりも烈しく、炎となつて燃え耀いて来るのであつた。彼は行くさき〳〵の市々でもとは金まはりのよかつた青年をその幅を利かしてゐられる仲間から引き放して、淋しく牢獄のなかへ追ひやつて、この悪魔の手の届く縄張りへ自分を陥れた運命を呪はせ、また一家の主人達には、今まではふんだんにあつた財産を手離させて子供達のねだるものぐらゐは充分その中から間に会つたものを今は鐚《びた》一文無くしてしまつたのでたゞ不機嫌に黙り込んで饑じさを顔に物言はせてゐる子供たちの中に交つて狂乱したやうに坐つてゐなければならないやうな目に合はせて引上げるのであつた。然しさればと云つて彼自身は賭博机の上からは一銭の金だつて懐に入れる訳ではなかつた。得るものは直ぐ右から左へ大勢の蹂躪者たちに任せて失つてしまふのであつた。何も知らぬうぶな青年達が必死になつて摑まうとしてゐる中から彼が引つたくつたばかりの最後の貨片までも。こんな事ぐらゐなら或る程度の心得さへあれば出来もしようが、しかし心得ぐらゐでは何と云つたつて海千山千の豪の者の狡猾手段を向うへ廻して戦ふことは出来ない。オーブレイは屢々ルスヴン卿にこのことを陳情したいと思つた。自分の利益になる訳でもないのに、それどころか結局多数の人々に破産の憂き目を見させるやうなこの種の慈善と愉快なら断念して貰ひたいものだと思つたのである。……けれども彼はそれをつい一寸延ばしに延ばしてしまつてゐた。……なぜかといふに彼はルスヴン卿が今日は打明けて話してくれるか、明日は打明けて話してくれるかと、その時の来るのを心待ちに待つてゐたのである。だが、そんな機《おり》は一向来なかつた。馬車に乗つてゐる時などでも、荒々しい自然の豊かな風景を眺めてゐる時などでも、彼はいつでも同じであつた。眼はその口と同じく何事をも語らなかつた。こんな訳でオーブレイは、自分の好奇心の種たる人物の直ぐそばに居りながらも秘密を発いてやらうといふ空な望みに絶えず心をわくつかせてゐる以上には、何一つの満足をも得ることが出来ずにゐた。しかしかうして絶えず相手の秘密に熾烈な想像を寄せてゐるとどうやらこの男には何か超自然な力があるやうに思はれて来るのであつた。

やがて程なく彼等は羅馬《ローマ》に着いた。するとオーブレイはしばらくの間道伴れの姿を見失つてしまつた。ルスヴン卿はこの頃は毎朝或る伊太利の伯爵夫人の朝の集りへ通つてゐたのである。そこでオーブレイはこの附近の今では廃都となつてゐる市の旧蹟などを訪ねに出掛けた。さうかうしてゐるうちに彼は故郷の英国から手紙を受取つた。彼は取る手遅しと急いでその封を切つてみると一通は妹から来たもので、これには愛情のほかには何も書かれてはゐなかつたが、残りの手紙は後見人たちから来たものでこれを読んで見て彼は仰天した。中に書いてあつた事は、彼がもし自分の伴れの男には悪魔の力が宿つてゐると想つてみてゐないまへだつたなら、恐らく悉く信じてしまふに充分な理由を彼に与へたに違ひなかつた。後見人たちの主張するところによれば、何はともあれ、直ぐその伴れから離れてしまへ、あの男は性根は大変な道楽者である。なぜかといふに、あの男は不可抗的な誘惑力を持つてゐる。あの男の淫蕩な性癖は社交界を危険に瀕せしめてゐるといふのである。彼がいつぞや例の男たらしの女に侮蔑を与へたのも、実はあの女を彼が嫌つてゐたのではなくて、却つて自分の慾望を濃くするために、自分の生贄——つまり共犯者——を清浄無垢な貞節の絶頂から汚名と堕落のドン底へ真逆さまに墜さしめるがためであつたので、彼が漁りまはつてゐた女といふ女が、彼の出発後一人残らず今まで被つてゐた仮面を捨てて、自分たちの悪徳のあらゆる疾病を社会に向つて敢えて曝露したといふのであつた。

オーブレイは、またしみじみとこれと云つては意義のある点を相手の性格から捉へることは出来ずにはゐたものの、とにかく一旦伴れから離れることに臍《ほぞ》を決めた。それには何か体のいい口実を考へなくてはならないと思つたから、しばらくの間今よりも一層相手の素行を仔細に注意して、どんなに些細な出来事でも見遁さないやうに気をつけてゐることにした。そこで彼はルスヴン卿の出入りしてゐる集会へ足を入れた。すると間もなくして、この頃ルスヴン卿が或る夫人の家へ通ひ詰めてゐてその夫人にはまだ極くうぶな娘が一人ある。それを彼がものにしようといろいろ企んでゐるといふことが判つた。いつたい伊太利では未婚の婦人は社交界へは滅多に出ないものなのである。だから彼は余儀なく計画を秘密裡に運んだものと見える。オーブレイが錯雑した彼の経路を怠なく探索してゐるうちに、やがてふたりのあひだに媾曳《あひびき》の約束が取り交されたことが判つて来た。事がここまで来てゐれば、それは既に無邪気なしかも無思慮な一人の少女の身の破滅である。そこで彼は今は一刻も猶予せずルスヴン卿の住つてゐるアパートに乗り込んで行つて、唐突にその婦人に対する彼の意嚮を尋ねた。同時に、あなたが今夜その婦人に逢はうとしてゐられることをも自分は承知してゐるといつた。ルスヴン卿は、自分の意嚮はかういふ場合恐らく万人が持つであらう意嚮と同一であると答へた。それではその娘さんとあなたは結婚する意志がおありですかと問ひ詰めて行くと、彼は只笑つてゐた。オーブレイは退出した。さうして、取敢えず、自分は今日より以来閣下と計画の旅行の残りを随行することは謝絶するといふ意味のことを紙片に認め、下僕をして早速他の貸部屋を求めさせた。それから彼はその娘なる人の母親を訪ねて、娘に関する一事はもとより、ルスヴン卿の性格に関することなどまで、およそ自分が知つてゐる限りは一切これをぶちまけた。勿論二人の媾曳には水が差された。その翌日ルスヴン卿は下僕を使者に立てて、御申越の別離の儀は確と承知したとだけ云つて寄越したが、オーブレイの邪魔立てのために自分の計画の水泡に帰してしまつた件に就いては別段何ら邪推しているらしいけぶりさへ見せなかつた。

さて羅馬をあとにして発つたオーブレイは、希臘《ギリシア》へ足を向けた。ペニンスラ（イベリヤ半島）を渡ると、やがて程なく身はアゼンスの町にあつた。アゼンスで彼は或る希臘人の家を仮寓と定めた。間もなく彼はその辺にあまたある記念碑の——打見たところは公民たるものの所行の記録を奴隷どもの前に示すのを恥づるかの如くにも土の下や色さまざまな苔や下草などの内等にかくれてゐるあまたの記念碑の面に、ありし日の栄誉の名残色褪せゆく記録を漁り歩くことに専念しはじめた。彼の住んだその家の一つ屋根の下には、一人の美しくたをやかな少女がゐた。マホメット天国に於ける信者たちの将来の希望を画布に描かんとする画匠がモデルにするのはこんな女であらうかと思はれる程美しい。尤も彼女の眼は霊なき人々のものとなるにしてはあまりに多く精神的なものを語り過ぎてはゐたけれども。彼女が野原を踊りまはる時、さては山腹のあたりを足も軽げに歩く時、人々は彼女の美を劣等にしたものが羚羊《かもしか》だと思つたであらうと思ふ。何故かといふに彼女の精彩ある眼を見るものは、それをあの好色漢の趣味にのみ協《かな》ふ媚を帯びたどんよりとした羚羊の眼に代へたらなどと思ふ筈もあるまいからである。イヤンテのこんな軽い足どりは屢々古蹟めぐりに出掛けるオーブレイのあとに随いて行つた。さうしてこの自分の美しさを悟らぬ少女がカシミア蝶を追ふとて風に乗つて漂ふ彼女が姿艶のあらゆる美しさを悉く現はしたのをオーブレイはさながら空中の妖精もかくやとばかり、我を忘れてうつとりしながら消えかかつた石碑の文字のやうやう意味の汲みとれたその意味をさへ忘れて、ただしげしげと打成るのであつた。今まではポアザニアの論戦を如何に正解すべきなどを懸命の問題としてゐたオーブレイも、近頃ではそんな問題もいつとはなく心に怠りがちになつた。このやうなオーブレイの好古家としての粗忽をも恕すに余りあるばかりに、飜々と空を舞ひめぐる時、彼女の髪は縺れほつれて、日の光に妙に映え輝き、また忽然としてうつろひ消え去るのであつた。しかし万人が見てこれを感じはしても、何人も能く味解し得べくもないこれらの魅力を茲《ここ》に縷説して果して何の益があらうか……。とにかくそれは人々の群れ集る客間の中や息詰るやうな舞踏会などへ出ても、些も濁るところのない無垢さと若さと美しさであつた。彼女は古碑の文句を後日の覚え書きにとつて置くために筆写してゐる彼の側近くに佇んでみたり、或ひは彼女の生れた国の風景を絵にうつし出してゆく彼の筆の巧みさに見惚れてゐたりするのであつた。彼女はこの野原で輪舞の催される時のことや、幼いころに見たのを思ひ出す盛大な結婚式のことなどをすべて若々しい記憶の生々しい色彩で話して聞かせるのであつたが、さて話題が一転しては彼女の心に深い印象を与へてゐるらしい彼女の乳母の超自然的な物語りなどをも語り出したものであつた。それを語る時の彼女の熱心さと、その話を信じ込んでゐるらしいその様子とは、オーブレイの興味を湧き立たせずには置かなかつた。さうして彼女は屢々生きてゐる吸血鬼の物語を彼に語るのであつた。その吸血鬼はこの年ごろの友達の最も親しみ深い結縁者たちのところにあらはれて、可愛い女性の生き血を吸つては己れの命を幾月かつないでゐるのだといふ。その話を聞いて彼は慄《ぞつ》と寒気を感じたが、暇つぶしな人怖らせの空想として強ひて一笑に附し去らんとするのであつた。しかしイヤンテは、現在その子供や親戚の人たちがその吸血鬼の餌食となつた確たる証拠を握つて、この世のなかに生き長らへてゐる吸血鬼を探索し出した老人の名前などを挙げて云ふのであつた。それでもまだ腑に落ちない顔をしてゐると、オーブレイを見て彼女は、彼に彼女の言つたことを信じて貰ひたいと願ふのであつた。何故かといふと、吸血鬼なぞ世の中にあるものではないと思つてゐる人はきつとそれが在るといふ証拠を見せられて、そこで始めて吸血鬼といふものが実際にあるものだと知つた時には、もう嘆いたつて気を落したつて追付かないものだからであつた。彼女はその怪物の伝統的な相貌をも詳しく彼に語つた。その話を聞いて彼は愕然として色を失つた。ルスヴン卿に寸分違わぬ話を聞かされたからであつた。それでもまだ彼は、君の可怕《こわ》がり方にはどうも本当らしさが見えないなどと云つて、彼女の話を覆さうといろいろ説いて見た。しかしさう云つて説きながらも、彼はどうやらルスヴン卿の超自然的な力が本当に信じられるやうな種々の符合点のある心のうちに怪しんでゐた。

オーブレイは次第にイヤンテに心を惹かれはじめてゐた。ロマンティックな幻想を追ひ求めてゐた今までの女達の気取つた淑やかさとは大に異つて、イヤンテの無邪気な点が彼の心を惹いたのである。英国風俗の中に生ひ育つた一人の青年が教育もない希臘の娘と結婚するのかなどと笑ひのめしながらも彼はますます目の前にいる彼女の殆ど仙女に近い姿に心惹かれて行くわが身に気づいて来てゐた。彼は時々自分を彼女から引離してしまおうと考へることがあつた。それには何か考古学上の研究でも計画して旅にでも発ち、目的を果すまでは帰らないことにしようと決心した。だが、それも無論自分の心のうちに思ふに適はしい幻影の絶えず附き纏つてゐる間は、到底昔の廃墟などに専心することの出来ないのは分り切つてゐた。イヤンテの方ではこんな彼の恋ごころにも気がつかず、いつもはじめて相見た時分と少しも変らぬ打ちとけた初々しい様子をしてゐた。彼と別れてゐるのを何となく気が進まぬげであつた。が、それはただ自分の好きな幽霊の話をする相手がゐなくなるからであるらしい。それに引き換へ、オーブレイの方は相変らず時代の破壊の手から纔《わづか》に免れて残つてゐる遺蹟の断片などを見取図にしたり発掘したりするのに余念もなかつた。到頭彼女は吸血鬼の問題を両親に訴へて見た。両親は折からそこに居合せた二三人の人達と一緒に吸血鬼の名を聞いて真つ蒼になりながら、吸血鬼は必ず居るものだと断言した。オーブレイがいよいよ計画実行の決心をしたのはそれから間もなくであつた。旅と云つてもほんの五六時間のものであつたが、その行く先きを彼等に話すと、彼等は口を揃へて、彼処に行くのであつたなら夜帰つて来てはくれるな、彼処は途中どうしても通らなければならない森があるが、あの森は日の暮れすぎは希臘人ならどんな事情があつても決してぐづぐづしてはゐない場所だといふ。人々の言葉によるとこの森は夜の酒盛に吸血鬼どもの集る場所だとかで、そこを無理にも押し切つて通る者には一番重い災難が降りかかるのだとのことであつた。オーブレイは彼等の申し立を軽んじて、そんな考へを持つてゐる彼等を笑殺してやらうとしたが、しかし、その時、人間には到底歯の立たない名前を聞くだけでも悸《ぞつ》とするやうな悪魔の力を嘲つたといふので人々が体をふるはせ出したのを見て、彼も口をつぐんだ。

　翌朝オーブレイは従者をも連れず出かけた。宿の主のひどく鬱ぎ込んでゐるのが彼には驚かれるばかりであつた。が、昨夜彼が例の恐ろしい悪魔の存在を信じてゐる彼等を嘲笑した彼の言葉が彼等にそんなに恐怖を与へたのであつた。いよいよ出立する間際にイヤンテが彼の馬側へやつて来て、いやなものなどが力を揮う日の暮れにならないうちに帰つて来ることをくれぐれも哀願するのであつた。彼はそれを請合つた。しかし彼は研究にあまり身が入りすぎて、日の没し去るのに間もないのにもう地平線には一点の黒雲が現はれて、それは気温の高い土地柄として忽ち凄い勢で空一杯に拡がつて、やがてこの呪はれた土地一帯にわたつて篠突くばかりの猛雨を降らせようといふものだといふのも気がつかないでゐた。それでも遂に彼は馬に跨がつた。遅刻を取りかへさうと意気組んで馬足を急がせた。しかしもうあまりに遅かつた。ここらの南方の国々では黄昏時といふものは殆どあるか無いかで日が没したかと思ふと直ぐ夜になつてゐた。さうして彼が大して遠くも進まぬ間に嵐の威力は彼の頭上にあつた。——轟々たる雷鳴は小休みなく轟き渡つて大粒な密雨はちやうど天蓋になつてゐた頭上の樹々の茂みを降り貫き、蒼白いさす叉形の稲妻は今にもわが足許に落ちて来て放電しようとするかと見えた。突然馬が驚いて跳ねた。馬は彼を乗せたまま恐ろしい速力で枝の入り組んだ森の中を駈け抜けた。たうとう馬は疲れて止つた。折柄閃く稲妻に見廻すと彼は朽葉のなかに埋れんばかりになつて粗朶に蔽はれてゐる一軒の小屋近くに来てゐるのであつた。彼は馬を降りて、進み寄つた。誰か人里へ行く道を教へてくれる人でもあればいい、せめては嵐の襲撃をしばらく避難する場所でもほしいものだと思ひながら。彼が進み寄つた時、雷はふと一瞬間鳴を鎮めて彼の耳に聞かせたのは息の詰るやうな叫び声の嘲り声と混つた女の笑ひ声と、つづいてもう一つ今度は邪魔の混らぬ女の叫び声であつた。彼はぎよつとした。しかし再び頭上で鳴り出した雷鳴に気をとり直した。彼は勇気を奮ひ起して、いきなり小屋の戸を開けた。見ると中は真つ暗であつた。しかし物音の方へ彼は近寄つて行つた。誰何して見たが、物音は依然として止まなかつた。彼の這入つて来たのなどは気にも留めぬ様子であつた。そのうち彼は誰かに触つた。彼はいきなりそれを引捉へた。すると「や！　また仕損じたか！」と呶鳴る声がして、その後から高らかな笑ひ声がつづいたと思ふと、彼は何か人間業とは思はれぬひどい力のあるものに引捉へられたのを感じた。安々と身を捨ててなるものかと決心して、彼は格闘した。だがその甲斐もなかつた。彼はいきなり足を持ち上げられたかと思ふと、凄まじい力で地べたへ叩きつけられてしまつた。――相手は直ぐさま飛びかかつて彼の上に馬乗りになり、喉首へ両手を当てがはうとした。折よくちやうどその時、夥しい松明の光りが小屋の節穴から射し込んで来て、あたりを昼のやうに明るくした。敵はそのためにひるんだ。さうして忽ち躍り上ると、餌食はそこへ置き去りにしたまま戸口から表へすり抜けた。森を突き抜ける時の木の枝の裂け砕ける音も、もう聞えなくなつた。嵐も今は鎮まつた。身動きもならずじつとそこに打倒れてゐたオーブレイはやがて戸の外へ来た大勢の人達に聞きつけられた。彼等は中へ這入つて来た。松明の光は泥壁とひどくすすけた藁屋根の上に照り映えた。オーブレイの願ひで人々は先刻叫び声で彼を驚かした女を探しに出かけた。彼はもう一度闇の中に残された。松明の光が再び現れてあたりを照し出した時、彼の美しい案内女が既に事切れた屍となつて運び込まれた時の彼の驚愕は如何ばかりであつたらうか。彼は目を瞑ぢた、自分の錯倒した夢の中に浮んだ単なる幻であつてくれればいいがと望みながら。しかし彼が目を開いて見ると、やはり外ならぬ同じ姿の彼の女であつた。頰には血の気も失せ唇にさへ色はなかつたけれど、しかしその顔には生きてゐた時と変らぬ魅力のある静けさが漾ふてゐる。……さうして胸と首とには血汐の迹が滴つてゐて、咽喉にはカプリと血管に食入つた歯の迹がまざまざと残つてゐた。その疵を指さして人々は一斉に驚きながら「おお吸血鬼！　吸血鬼！」と叫ぶのであつた。やがて手早く担架がしつらわれて、オーブレイと彼女とはその上に竝んで横へられた。嗟今までは彼にとつてさまざまの輝かしい天女の幻影の対象となつてゐた彼女、その幻影も今は彼女の花のごとき命とともに屍のうちに亡びてしまつてゐた。……彼はわれながら何を考へてゐるのやらさつぱり判らなかつた。心は痺れ果てて物を考へるのを避け、今はただ虚空に休らはんとするかのやうに。——いつとも知れず手に握り持つてゐた抜身の匕首を見たが、それはあの小屋のなかで見つけたもので珍らしい恰形の匕首であつた。やがて彼等が路を行くほどに、また別に一団の人々に行き逢つた。聞けばこの人達はどこやらの母親の行衛知れずになつたのを探し尋ねあぐねてゐるのであつた。大勢の人々の愁嘆する諸声は、市に近づくに従つて怖ろしい変事を人の親たちに警告するのであつた。——その親たちの悲嘆は筆紙には到底尽し難い。彼等はわが子の死因を初めて知つた時、一斉に先づオーブレイの顔を凝視してから、さて娘の死体を指さした。彼等にとつては諦め切れない事であつた。両親とも涙に暮れて死んだ。

床に寝かされたオーブレイは猛烈な悪熱に侵された。時々その熱に浮かされてうわ言を口走つた。その合間にはルスヴン卿とイヤンテとを求めるのであらう——得体の知れぬ錯雜から彼は旧友に自分の愛人を渡してくれと頼んでゐる模様であつた。さうかと思へばまた時には、彼の頭のなか一杯をあらゆる呪咀で満たして、彼女を殺した下手人は彼だと呪つてゐる時もあつた。恰度この時ルスヴン卿は偶然アゼンスの町へやつて来た。さうして、どういふ拍子からか、彼はオーブレイが重態の噂を聞込んで、早速同じ家へ泊り込んだ、さうして附切りの附添人となつた。オーブレイは夢現の境から覚めると、自分が今まで吸血鬼の形と結びつけて考へてゐたその人の姿が目の前にあるのでぎよつとした。しかしルスヴン卿は親切な言葉で、彼等が物別れにならなければならなくなつた過失を殆ど後悔した口振りで一層彼をもてなしたり心配や世話を焼くので、オーブレイも自然、面と向つては次第に心が打ち解けて来た。卿も以前とは大分様子が変つた。あの頃オーブレイを驚嘆せしめたやうな冷淡なところは今では微塵も見られなかつたが、しかし日一日とオーブレイの病がずんずん恢復しだして行くのに従つて、相手の気持もだんだんと後戻りして行つた今ではただ口角に意地悪げな勝誇らしげな微笑をにやりと湎へて顔を見据ゑられる時に驚く以外には、以前の卿と何等変つたところもなかつた。その笑ひ顔が故も知れず彼の心に憑き纏ふのであつた。病人がそろそろ恢復期になつた終り頃には、ルスヴン卿はひたすらに潮の差し引きもない海原に涼しい微風によつてうねり返してゐる波の穂やさては静止してゐる太陽の周囲を運行してゐる遊星などを眺め飽かしてゐるふりをしてゐた。——実際彼は皆の目から避けたがつてゐる様子であつた。

オーブレイの心は今度の震蕩によつて大分沮喪を来たした。嘗てはあれほどこの男を目立たさせてゐたあの柔軟性に富んだ精神も遂に永久に失はれてしまつたかと思はれたくらゐである。今では彼もルスヴン卿と同じく孤独と沈黙とを愛するやうになつた。——しかしその孤独はアゼンスの近くに見出すことは出来なかつた。以前彼が屢々訪れた廃墟にそれを求めんとすれば、イヤンテの影が彼の傍に立つてゐた。森の中にそれを探ね行けば、軽い彼女の足どりが床しい香ひの菫の花を手折りにと木の下路を歩いて来る。忽ち振り返るその顔を見れば唇のあたりには和やかな笑を湎へたその顔は色蒼ざめて、咽喉にはあの深い傷の痕がありありと残つてゐる。ああいつそのことこんな土地は離れてしまはう、心に苦い連想を与へるこの地勢から逃れ去らうと彼は決心をした。彼は病中にやさしい看護を心がけてくれたルスヴン卿に対してどこか希臘のうちの二人ともまだ見ぬ土地へ行くことの相談を持ちかけた。やがて彼等はいろいろの方面へ旅をした。さうして思ひ出に残るやうな土地を尋ねて歩いた。けれどもかうして旅から旅へと慌しく歩きながらも、見てゐるものをさへもおち〳〵と心にとめて居られぬ有様であつた。彼等は賊の噂を多く聞かせられた。しかしその噂もしまひには耳に馴れて、どうせそんなものは度胸があつて本気にしないものを騙かすのが面白さに誰かがひねり出す悪戯だらうぐらゐに看做して二人は馬鹿にしてゐた。二人が土地の人の云ふのをあまり気にも懸けないでゐたので、或る時たうとう僅か二三人の警護者――といふよりも案内者といふ役柄であつたが――を連れて旅に立つた。ところが或る狭い谷間路にさしかかつた時、ここは眼下に早瀬の滾ち流れる河床があつて、近くの崖から崩れ落ちた大きな岩が彼方此方にもごろごろ転つてゐるやうな場所であつたが、二人はここまで来て初めて自分達の迂闊を後悔する理由を持つたのであつた。といふのは一行がその細い径へさしかゝつた時、いきなり鉄砲の弾丸が頭上をひゆうつと掠め、つづいて数挺の鉄砲が発砲された。それを見るなり警護者たちは二人をそこに置き去りにしたまま直ぐさまそれぞれに岩蔭に身をかくし、銃声の聞えた方角へ発砲しはじめた。ルスヴン卿とオーブレイとは直ちに彼等の供に倣つて、谷道の曲り角へ身をひそめた。ところが敵は一人も姿を現はさないで、ただ侮辱的に叫び声を上げて立ち合へと命じてゐるきりであつた。出て来ないものを待ち構へたり手向ひもして来ない人殺しに身を曝してゐるのも間の抜けた話だ。たとひ賊が登つて来たにしても背後からこれを捕へることも出来ようといふので彼等は進んで敵を探しに出ようと決意した。すると彼等が岩蔭から出も終らぬうちにルスヴン卿が敵の弾丸を肩に受けて為めに地上に倒れた。オーブレイは急いで彼を助けに行つた。無論最早争闘や身の危険などに構つてゐられる場合ではない。忽ち彼は賊の面々に包囲されてしまつた。手負つたルスヴン卿にかかつてゐた警護のものどもも早速武器を取上げられて降参してしまつた。

代償はたつぷり取らせるといふ約定で、オーブレイは早速賊どもをして手負いになつた友達を近所の小屋へ搬ばせた。金高も折合つたので、もう山賊共に妨害されることもなくなつた。彼等はオーブレイが吩咐《いゝつけ》てやつた金を仲間が持つて来るまで快く入口で見張をしてゐた。ルスヴン卿は見る見る衰弱して行つた。二日のうちつづいて脱疽に罹つた。かくて彼は急ぎ足で進み寄るやうに見えた。しかし彼の挙動や様子は毫も変らなかつた。オーブレイを対象としたと同じやうに痛みに対して無意識でゐるらしかつた。しかし臨終の夕が迫つたころには彼の心も不安になつたらしかつた。彼の目は凝乎とオーブレイを見入つては普段より以上に心を籠めて命乞ひを努めてゐた――「助けてくれ。君ならばわしを助けられる。それ以上のことだつて出来さうだ。わしのいふのはわしの生命のことではないよ。わしの肉体の死ぬことなどは自分の過去の日が去る位にしか意に介してはゐないのだ。その代りに君、わしの名誉だけは、君の友人たるわしの名誉だけは救つてくれ給へ」――「名誉を救ふつて？　どうすればいいのです。それを仰言つて下さい。

僕はどんな事でもする気ですから」オーブレイが答へた。「ちよつとしたことさ。わしの命はもう引き汐の勢だ。残らずは言へぬが、要するに――君が知つてゐるわしといふものを隠蔽して置いてくれればわしの名誉は人の口に汚されずに済むのだ。――わしの死がしばらくの間英国に知れずにさへ済めばねえ、――わしは、わしは――ただ生涯を、それが人に知られたく無いものだ。誓つてくれ」瀕死の人は激しい力で身を擡げながらかう叫んだ。「君の尊重する者に賭けて誓つてくれ、天性として君を畏怖させるものに賭けて誓つてくれ。年内と一日の間、その間は決してどんな事があらうとも、どんな目に遭つても、君の知つてゐるわしの罪状と死とはどこの誰にもきつと洩さないと誓つてくれ」――かういふ彼の両眼は眼の凹から今にも飛び出すかと思はれた。

「きつと誓ひます」オーブレイが言つた。すると彼は枕の上へ笑ひ転げて息は絶えてゐた。

オーブレイは一休みするために彼の側を離れたが眠ることは出来なかつた。どういふわけかは知らないがこの男と抑々知合つた頃からの、その時折のさまざまな場面が心頭に浮んだ。さうして今誓つた誓約を思ひ出すと、それが何か自分を待ち受けてゐる凶事の表示ででもあるかのやうに彼には思はれて、氷のやうな冷たい身震ひが全身を流れるのであつた。翌朝彼は未明に起き死骸を安置して置いた小屋へ這入らうとすると、入口で賊の一人とぺつたりと行合つた。その男の云ふには、死骸はもう小屋の中にはない、オーブレイの退出の後自分が仲間のものとともに、死んだら直ぐさま月の昇り次第に死体はその冷たい光にあててくれといふあの方との約束に従つて近くの山の頂上に運んだとの事であつた。

オーブレイは吃驚した。そこで彼は数人の者を従へてその死体の埋められたといふ場所へ直ぐと行つて見ることにした。けれども山の頂上に行つて見ると、賊どもが確かにそこに置いたと示した岩の上には死骸も着てゐた衣類も迹かたはなかつた。彼は暫くは当惑に暮れたが、やうやう思い当つて賊どもが卿の死骸を埋めたのはきつと衣類を剝ぎ取るためだつたのだらうと考へてやつと戻つて来た。

かくの如き怖るべき不幸に遭つたことはこの土地に倦きまたその心に取り憑く迷信的な憂鬱をますます募らされるので、彼はこの土地を離れることに心を決めて、間もなくスミルナに着き、オトラントカナポリガへ行く便船を待つ間、彼はルスヴン卿と一緒にいた間に彼から得たさまざまな結果に就てしみじみと考へて見た。許多ある彼の遺品の中に五六種の凶器の入つた箱が一つあつた。いづれもその品は被害者の死を保証するに好適な恰形をしたもので普通の短剣が二三挺とアタガン刀（土耳古人の用いる剣）が幾振かあつた。それを手に取り上げて珍らしいその形を眺めてゐるうちに、思はずも彼は悸《はつ》と驚いたといふのはその中の一振の鞘飾りがいつぞやあの森の中の小屋で拾つた匕首と同じ型をしてゐたからである。――彼は体が震へた。――そしてもつと証拠はないかと急いでかの匕首を探して見ると、幸ひそれが出て来た。その時の彼の戦慄がどんなものであつたかは想像するに余りある。特殊な形を具へたかの匕首が今手に持つた鞘とぴつたりと嵌るのであつた。もうこの上は何の証拠の必要もない――彼の目は結びつけられたやうに凝乎とその短剣に見入つてゐた。しかしそれでもまだ彼は真逆《まさか》に信じたくはなかつた。だが二つとも一様に特殊な型をしてゐるし、欛《つか》と鞘とに同じく施された雑多な配色の華麗な点も似てゐるのであつた。且つ疑う余地もなく、両方ともに血痕が滴つてゐるのであつた。

スミルナを発つた彼は故郷への途中で羅馬に立寄つた。そこで先づ彼が心に問ふたのは、いつぞや自分がルスヴン卿の誘惑の手から奪ひ取ろうと企てたかの婦人のことであつた。彼女の両親は難渋してゐた。運勢が滅茶苦茶になつてしまつてゐた。彼女に関しては卿と別れてより後は杳として知るところもなかつた。オーブレイの心はかくまでも積りに積る恐怖のために狂せんばかりであつた。この婦人も亦イヤンテを破滅させた奴の犠牲になつたのではないかと危まれるのであつた。彼は無愛想に無口になつた。さうしてその愛する者の命を救ひに行かうかとでもしてゐるかのやうに、ただ一気に四頭立の馬車を急き立てて行くのであつた。カレーに着いた。和風はさながら彼の意を体したかの如くに彼を英国の岸辺へ吹き送つた。彼は父親の邸へ急いだ。さうして妹の温い抱擁と愛撫とに逢つてしばらくの間は来し方のあらゆる思ひ出も消え失せたかのやうに見えた。以前ならばあどけない仕打によつて兄の愛情を得たであらう彼女も、はや一人前の婦人の如くなつてゐて今は友達として以前に優る兄の愛着するところとなつた。オーブレイ嬢はいつたいが、あちらこちらの招客の席などへ集つて来る人々の注目や賞讃を得るやうな愛敬に富む優しみを帯びた娘ではなかつた。あの種の大勢の人に賑う部屋のなかの火照の間に特有な軽やかな輝きのある娘ではなかつた。彼女の水色の眼は心に蔵された気軽さで輝くやうな眼ではなかつた。それはいかにも悒鬱な魅力を帯びた眼で、しかしその悒鬱は決して不幸から来たものではなくして、内に深く感じたところがあるといふ、つまりもつと明るい国を意識してゐる魂を語つてゐると云つた眼付であつた。足どりなども蝶や色彩などに心を引かれて迷ひ出て行くやうな軽々しいものではなかつた。落ちついた物悲しげな足どりであつた。彼女の前にゐる時にのみあの心のみだれた悲しみを忘れることの出来るままにその兄が愛情の息吹きを吹き込む時の外はひとりでゐる時などその顔が歓びで頰笑み輝くことなどはなかつた。誰が彼女のこの笑ひを淫らなものと取換へたいと望むものがあらうか。実際兄と妹との相対する時、彼等の眼が、彼等の顔もその時には生れたばかりの天真な光りの中で戯れ合ふのであつた。彼女は年やうやく十八歳、世間にも触れてゐなかつた。彼女の後見人たちは兄の帰朝するまではさういふ事は見合せて置かうとの配慮から出たものであつた。兄が帰れば彼女のお守り役にもならうからといふのであつたから、従つてちやうど時は今、折からさし迫つて接見の儀が催されやうとしてゐるのを幸ひ、それをひとつ彼女の社交界への初見参にしようといふことになつた。オーブレイはどちらかといふと自分は父親の邸に居残つてゐて、堪え難い憂鬱をひとり貪つてゐたい下心であつた。現に証拠を目に見た事件で心も千々にみだれてゐるこの際、今日を晴れと着飾つた見も知らぬ人達のたわいもない振舞などには些の興味もなかつたのであるが、ただ妹を庇護してやりたさに、彼は自分の楽しみを犠牲にすることにした。程なく彼等は市に着いた。さうしてかねて接見の日と披露されてゐる明日の支度にとりかかつた。

接見の儀は大分久しく催されないでゐた折のこととて参集する人々は大分多かつた。いづれも御機嫌すぐれた御竜顔を拝せんものと馳せ参じた。オーブレイも妹ともども参じた。接見の間の片隅に彼はひとりぽつねんと佇みながら、あたりには構ひなく、彼がルスヴン卿と外でもない現在のこの部屋で初めて会つた時のことを思ひ出してゐた。不意に彼は誰かに腕を摑まれたやうな気がした。同時に聞き覚えのある声を耳にした。——「誓約を忘れまいぞ」彼は咄嗟に振向いて見る勇気も出なかつた。自分を葬り去るに違いないあの怪物を見るのが怖ろしさのあまり。するとその時彼は、初めての時もやはりやや遠いその入口から這入つて来たその姿に心を惹かれたその同じ姿を見た。体の重みに堪えかねるやうなその跛足姿をじつと彼が見送つてゐると、かの男は余儀なく一人の友人の腕を借りながら群衆を押し分けて、馬車の中へ身をおどらせた。さて帰つて行つた。オーブレイは部屋の中を大股に歩いた。さうして自分の恐ろしい考へが頭脳を打壊しはしないかと気遣ふやうに、両手でしつかりと頭を抱へてゐた。——ルスヴン卿が再現したのだ。しかも恐ろしい形勢で現はれ出たのだ。——短剣誓約。彼は我に返つた。

彼はどうしてもそれを信じられなかつた。死んだ者が生き返る！——彼は今し方の幻想をかねがね自分の心にこびりついてゐる映像を今彼の想像が目のあたりに呼び出さしめたものと思つた。それが本当であるなんてあり得べからざる事だ。そこで彼はもう一度皆の集つてゐる処へ行つて見ることにした。皆にルスヴン卿のことを尋ねてみようと思つたのである。けれどもその名前が危く唇に出さうにしたが、彼はどうしてもそれを口から外に出すことは出来なかつた。それから二三日経つてから、或晩彼は妹同伴で近しい親戚の会合へ出掛けた。その晩彼は妹を乳母に預けて置いて壁の凹に退いて、自分はひとりこの間からの物思ひに耽つてゐた。やや経つてから彼はまだ大勢の人達が帰らずにゐたのを思ひ出して別の部屋へ行つて見ると、そこに妹が五六人の人達に囲まれて頻りと何か話してゐるのに会つた。で彼はそこを通り抜けて妹の側へ寄つて行かうとして、そこに居合せた人に退いて貰はうと思つたところが、ふとその男がくるりと此方に振向いた顔を思はず見ると、——その男こそ彼が日頃怖ぢ気を振つてゐるあの形相を現はしたではないか。彼は思はずそこを飛び出して、妹の腕を摑むが早いか、大急ぎで彼女を無理やりに表へ引張り出した。入口のところで主人たちを待つてゐた一とかたまりの下男どもに妨げられたけれど、それを振切つて外へ行かうと努めてゐる時、またしても彼は耳許で囁く例の声を聞きつけた。——「誓約を忘れまいぞ」——彼はそれを振返つても見ずに、ともあれ妹を急き立て急き立てしてやつとのことで家に帰つた。

さてその後のオーブレイは殆ど狂気せんばかりであつた。以前ならば一事に凝り出すと完全にそれに夢中になる彼であつたが、この頃ではあの怪物がまだ確に生きてゐるといふ考へが彼の心の上に重くのしかかつてゐるのであつた。彼は妹の看護をも顧ず、妹が彼のだし抜けな振舞ひの理由を彼に打明けさせようと骨折つてみても無駄であつた。いつもほんの二言三言。それが妹の心を脅かした。考へれば考へるほど彼は益々不可解になつて行つた。誓約を思ひ出してはぞつとした。——あれを誓つた時、息の根にも破滅を齎す怪物を、愛しく思ふ人達の間にさまよふに任せて捨て置いてそれの進路を遮り止めないつもりであつたらうか。あの最愛の妹が彼奴の毒牙にかかるかも知れないのである。しかしたとひ自分が誓約を破つて、さうしてこの疑惑を明かしてみたところで誰が自分の云ふことを本気にするだらうか。そこで彼はこの後とも一切、自分の手にかけてこんな痴れ者をこの世からおさらばにしてくれてやらうとも思つた。しかし思ひ出して見れば死が既にお笑ひ草にされてゐるのではないか。——かういふ状態で幾日かは過ぎた。その間彼は自分の部屋に閉ぢ籠つたきりで誰とも顔を合はさず食べものも妹が来た時の外には摂らなかつた。その妹は目に涙を流して、彼女のために養生して欲しいと彼に懇願するのであつた。しかし到頭、こんな静寂と孤独とにも堪へられなくなつて、彼は家を脱れて彼に憑き纏はるあのまぼろしの浮ぶのが怖ろしさに町から町をほつつき歩きはじめた。着物もみだれて彼は昼は日に曝され夜は夜露に濡れるのであつた。初めのうちはそれでも夜になると家に帰つて来たけれどしまひには疲れて来れば処構はずそこらへごろりと横になる。もう誰が見てもオーブレイとは分らなくなつてしまつた。妹は兄の身の上を気遣つて人をやつてあとを尾行させたが、そのまた足の速いこと、憑き物から——あの思ひ出から脱れようとして逃げ走る彼の足早には誰も追付けるものもなかつた。けれども、そのうちに、彼の態度が俄かに革《あらた》まつた。この頃彼が居ないために大勢の友達を置き去りにして置いたことさうしてかの敵はその友達の中に交つてゐるのだが彼等はそんなことに気がつかないでゐると云ふことにふと気がついたのである、そこで彼はもう一度世間へ顔を出してやらうと決心した。ひとつ敵の真近にゐて見張つてゐてやらう、ああ云つて誓約はしたもののルスヴン卿がなれなれしげに近づいて行くやうな人達に警告してやらなければならない。さう思つて彼が或る部屋へ這入つて行くと疲れ衰へた胡乱なその姿があまりに甚しく心の戦《おのの》きがあまりに外に露《あらは》に見えてゐるので、妹などもしまひには、彼女のためにそんなに気を苛立たせる人中へは立交らないで欲しいものだと歎願するのであつた。けれどもいかほど諫めて見ても効がなかつたので、後見人たちは世話を焼くには今が潮時だと思つた。といふのは彼が物狂ほしくなつて来てゐるのを心配して彼等が今こそオーブレイの父親が末々までと見込んで頼んでくれた信任を一層鞏固にする時だと思つたのである。

そこで彼等は、毎日諸処をほつつき歩くオーブレイに怪我や難儀のないやうにまた一つには物狂ひのその姿を世間の目に曝させぬやうにと、医者をひとり邸内へ雇入れてそれに彼の世話をさせた。オーブレイの方ではこの頃ではもう全くあの戦慄すべき問題に何物をも忘れてひたすら没頭してゐたから、そんな事には一向気のつかぬ様子であつた。そのうちにも彼の心は次第に烈しくなつて来て到頭彼は一室に監禁されることになつた。その部屋のなかで彼は起きることもならずに幾日も絶えず臥通してゐることも度々であつた。衰へ呆けた。ますますひどくなり、眼は硝子のやうな光沢を帯びて来た、残んの愛情と追想との唯一のしるしは、妹が部屋に入つて来る時だけに見られた。その時に不意に立つて自分の方から進んで、彼女の心を痛ましめるやうな可恐しい眼付をして彼女の心を握つて彼に（自分にといふ意味と例の男にといふ意味とを二重に含めてゐる。次の言葉の兄さんも同様である。オーブレイの狂想と妹の考との交錯を表現する一手法と知るべし。訳語及ばざるに就き一言註に及ぶこと然り。——訳者）触つてくれるなと彼女に哀願して「ああ、どうぞ兄さんには触らないでゐて下さいよ。あなたが私を愛するなら、どうか彼の側へは近寄らないでね」といふのであつた。しかし彼女が誰のことを言つてゐるのかと問ふと兄はただ「本当だ、本当だ」とばかりで、またしても彼女の手でさえも起せることの出来ないやうな状態に沈んでしまふのであつた。こんな状態で幾月かつづいた。しかし月日の経つうちに彼の乱心も薄らいで来て、陰気な気持も次第次第に除れて来た。一方、後見人たちはこの頃彼が昼間など時折り自分の指を折り数へて何か勘定しては、ひとりで北叟笑んでゐる姿を幾度となく見かけたものであつた。

誓約の時も経つて、大晦日になつた日後見人の一人が彼の部屋へやつて来て、医者と妹御の御婚儀も明日にまで迫つたといふのに兄上の御容態の重いのがまことに気ぶつせな次第だ明日に迫つた妹御の御婚儀といふのにと話し合つてゐるのであつた。オーブレイはいきなり聞耳を立てて、誰との婚儀だと心配げに尋ねた。後見人たちは既に失はれたものと思つてゐた、彼の智力が再び蘇つたのに喜んでアマツン伯爵の名を指したものであつた。この名は彼も社交界で逢つたことのある若い伯爵であると思ひ、オーブレイはその時心から晴れやかな面持であつたが、式場へ列席したいといふ意嚮と妹に逢ひたいとの希望を言ひ出して、一同は二度吃驚した。彼等は返事はしなかつたがそこへ間もなく妹が兄の側へ来合せた。妹の愛らしいほほ笑みのおかげで彼はどうやらもう一度感動させられることも出来た。自分の胸に彼女をしかと押し抱いて、兄の正気になつたうれしさに流れた涙で濡れた頬を彼は接吻した。さうして彼はいつもやさしさのかぎりを籠めて語りはじめた。その家柄と云ひ才芸と云ひふたつながら人に秀れた人のところへ嫁ぎ行く彼女の結婚をことほぐのであつた。その時彼はふと妹の胸に懸つてゐる写真入《ロケット》に目をつけた。さうして開けて、己れの生涯にこれほど久しい影響を与へた怪物の姿を見た時の彼の驚愕は如何ばかりであつたらう。憤怒の発作でその肖像を引摑み、それを足で踏みにぢつた。彼女の未来の夫の肖像を何故こんなに壊したかといふ妹の問ひに対しては、彼はまるで意味を解しないかのやうな様子であつた。さうして彼の妹の手を握りしめて乱心の心を面に現はしながらじつと彼女の顔を見詰め彼は彼女にこんな化物とは結婚しないと誓へと命じた。言ひかけて彼はこれ以上を云ふことが出来なかつた。例の声がその時も亦、彼に誓約を思ひ出させるものと見える。——彼は身近くに現はれたルスヴン卿を見ようとして、いきなり振り向いて見たが、そこには誰の姿もなかつた。やがて事の次第を聞きつけた後見人と医者とは、彼の頭脳の調子がまた狂ひ出したかと思つて、部屋へ来た。無理やりに彼をオーブレイ嬢から引離し、彼の傍から放れるやうにと妹に云つた。

すると彼はいきなり彼等のまへに膝をついて、結婚はもう一日だけ延ばして貰ひたいと哀願するのであつた。彼等はその様子を見て、これも憑き者で気の狂つたせゐだらうと思つて、出来るだけ気を鎮めさせてその場を引取つた。

ルスヴン卿は接見の賀の日の翌朝訪問をしたけれど、諸人と同じくこの訪問は応じられなかつた。彼はオーブレイが大分容態が悪いと聞いた時、自分だけにはその原因も思ひ当つてゐたが、そのオーブレイがこの頃、気が狂つたらしいと伝へ聞いた時、彼の得意と歓喜とはその報を持つて来た人達の中にゐながらも殆ど匿し切れない程であつた。早速彼は旧友の家へ出掛けて行つた。さうして絶えず妹の側へつききりになつて、彼が兄に対する愛情とその不可思議な運命とに関心を持つてゐるものだと佯《いつわ》つて、そくそく彼女に言ふことを聞かせた。もとより彼の力を拒むことの出来る者があらう筈はない。

彼の舌はいろいろと脅かしたりすかしたりしなければならなかつた。――彼はこんな風に語り出した。自分はこの広い世界に誰も同情してやらうと思ふものは一人もない。尤も自分がかうして今話しかけている彼の女だけは別であるが。――彼は彼女を知つて以来初めて生甲斐を感じた。物静かな彼女の声を聞いてゐるばかりでつくづく長生きがしたいと思つたとか――つまり彼は蛇生の術を巧みに操る術を会得してゐたのである。さうしてそれが宿命の意志であつたのであらう。彼は到頭彼女の愛を獲た。本家にあつた称号が遂に彼のものとなり、彼は重大な使命を帯ぶに及んでそれが結婚を急がせるの口実となつて（兄の乱心中にも不拘《かかはらず》）いよいよ彼が大陸へ旅立つといふその前日に式が挙行される運びになつた。

オーブレイは、あの時後見人と医者とが部屋を出て行つてから、召使ひどもを買収しようと思つた。が、事実はそれが失敗に終つたのであつた。彼はペンと紙とを持つて来てくれと頼んだ。妹に宛てて一通の手紙を認めた。――妹よわれはおん身に切願す。おん身がおん身の幸福または名本と嘗て汝を家の宝とし給ひし先考の名誉とを思ふならば、何卒今度の結婚は必ず凶事を誘導すべしと予が言へる今度の結婚は願はくば数時間の猶予せられん事を云々。この手紙を召使ひは彼女に届けると約束したがそれを医者の手に渡した。医者はそれを読んでこんな狂者の譫言などでオーブレイ嬢の心を擾さぬ方がよいと考へたのである。でその晩忙殺されて休む間もないうちに夜は更けた。その忙しい支度の物音をじつと聞いてゐたオーブレイの戦慄は筆で誌すよりは想像するに容易であらう。朝になつた。やがて幾台かの馬車の響が彼の耳を破つた。オーブレイは半ば狂乱の状態に陥つた。召使ひどもは物珍らしさに監視のことなどを打忘れて体の利かない婆やを一人彼の監視につけて置いて、皆こつそりと出て行つた。機を見て彼はひと飛びに部屋を脱出した。さうして瞬く間に、大方はもう集る人も集り尽した部屋へあらはれてゐた。最初に彼を見つけたのはルスヴン卿であつた。彼は怒りでものも言はずに忽ちに進み寄つて手荒に彼の腕を摑むと、部屋から彼を逐ひ立てた。階段の上まで来るとルスヴン卿は彼の耳に囁いた。「――誓約は忘れまいぞ。考へて見給へ。今日わしの花嫁にならなければ、妹は辱を受けるわけだ。女は脆いものだからな」かう言ひながら彼はオーブレイを婆やに促されて主人を探しに来てゐた従者どもの方へ押し退けた。オーブレイは最早身を支へることも出来なかつた。烈しい怒は捌け口を見出すことが出来ずに、遂に彼の血管を破つた。彼は臥床に運ばれた。この椿事は妹には知られなかつた。彼女は兄が来た時には折からその部屋には居合せなかつたものだから。医者は彼女の心を擾すことを惧れてさう取計らつたのである。結婚式は挙げられた。さうして新郎と新婦とは倫敦を発つた。

オーブレイの衰弱は募つた。脳溢者は既に死も遠くない徴候を示しはじめてゐた。彼は頻りと妹の後見人どもを呼んで貰ひたがつた。さうしてその夜の十二時が打つた時、読者がここまで親しく見て来られた一切の物語を泰然として語つたのであつた。――語り終つて間もなく彼は落命した。

後見人どもはオーブレイ嬢の身を守護するために急行したが、彼等が着いた時には既に遅かつた。そこには最早ルスヴン卿の姿は見えず、オーブレイの妹は吸血鬼の渇を飽かしめてゐたのであつた。

吸血鬼の女

――『ゼラピオン同盟員』より

E・Th・A・ホフマン

種村季弘訳

ヒッポリート伯爵は、逝去してまもない父の莫大な遺産を手に入れるために、久しい遠国の旅から故郷に帰った。先祖伝来の城は、付近でも選《え》りぬきに美しい、雅趣をきわめた一帯にあって、領地の収益《みいり》は贅美をつくした城の改装に思うさま費してなお余りあった。旅の途々、とりわけ英国で、およそ様式の魅力、贅沢、豪奢に眼を奪われたほどのものは、ことごとく、いま一度おのが目の前にしてみないことには伯爵には気がすまなかったのである。職人や芸術家たちが、用命にこたえて必要な数だけ館《やかた》に到着し、まもなく城の改装と広大な庭園の設営が大規模にはじめられた。教会や墓地や牧師館さえもが区劃をきめられ、それが人工の森の一部のように見えるのだった。工事はすべて、それに必要な知識を持っている伯爵が直々に采配を振った。彼は精魂をこめてこの仕事に没頭したのである。こうして一年《ひと》が過ぎ、居城の燭台を処女《おとめ》の目のあたりに煌めかせ、その美しい、最良の、高貴たぐいない女を花嫁として彼のものにするがよいという、年老いた伯父の奨めにしたがおうとする考えすらも眼中にない有様であった。折も折、ある朝のこと製図台にすわって新しい建物の設計図を引いているところへ、父方の遠い親戚に当るさる老男爵夫人が刺《し》を通じてきた。男爵夫人の名を耳にした瞬間、ヒッポリートはすぐに思い出したのであるが、彼の父はかねがねこの老女のことを語るとき、はげしい不機嫌、いや嫌悪の情をさえ浮べ、男爵夫人に近づこうとする人があると、危険の原因《わけ》も言わずに、近づかぬ方が身のためだと警告の言葉を発したものであった。故伯爵は詳しい説明をもとめられると、なにがしかの事情があるにはあるのだが、それを喋るよりは黙っていたがよかろう、と言うのがつねであった。確かなことは、かつてその居城にまことに奇怪な、前代未聞の刑事訴訟の不吉な噂が立ち、男爵夫人が事件に連累していて、それが因《もと》で夫と離別してその人里離れた居住地を追われ、事件を外部に洩らさないためにはひたすら領主の恩寵にすがるほかはなかった、ということであった。父の嫌悪の理由はついに判らずじまいに終ってはいたものの、父が忌み嫌っていた人間が近づきをもとめてきたということで、ヒッポリートはなにか厭なものに触れられたような感じがした。とはいえ、親類づきあいの権利はとりわけ地方では重きをなしているのかもしれないのだ。それが伯爵をわずらわしい訪問に応じるように促したのである。醜いところがすこしもなくて、それでいて一人の人間がその外見においてこの男爵夫人ほど不快な印象をあたえるという経験を、ヒッポリートはかつて知らなかった。招じ入れられると同時に、彼女は火のような眼差しで伯爵を穴のあくほど凝視し、それから眼を伏せて、ほとんど卑下するような表情で訪問の非礼を詫びた。涙ながらに彼女の語るところでは、故伯爵は、自分に敵意を抱いている人びとが陰険な手口でまんまと吹き込んだ世にも奇妙な偏見のとりことなり、亡くなられるまで自分を憎悪しておられ、自分が貧の辛酸をなめながら困窮し世間体を恥じなければならぬ破目に立ちいたっても、鐚《びた》一文援助をあたえて下さったことはなかった、ということであった。たまたままったく思いがけなくささやかな額の金が手に入り、ようやく居城を捨てて遠くの地方都市に都落ちすることができるようになった、その旅の道すがら、その不正かつ宥《ゆる》すべからざる憎悪にもかかわらず自分がつねに敬愛していた男の息子を一眼見たいというやむにやまれぬ気持をとどめかねたのだ。——男爵夫人は思わずほろりとさせるような真情のこもった調子でそう語った。折から伯爵は、老女の不快な顔から眼をそむけて、男爵夫人と同行してきた、目のさめるばかりに愛らしく優美な女性《ひと》に見とれていたのであったが、それだけに感銘も一入《ひとしお》だったのである。男爵夫人はいまや口を緘《とざ》していた。伯爵はそれにも気づかぬげな様子で、無言のままであった。そこで男爵夫人は、この場所が場所だけに取り乱して、お目通り早々娘のアウレーリエを御紹介申し上げなかった不行届をどうかお宥し願いたい、と言った。いまや伯爵ははじめて口がきけるようになり、恋にのぼせた若者の狼狽もあらわに、眼まで真赤に上気しながら、父にしてもそれは誤解ゆえに犯しただけのことでしょう、お許しがあればどうか償いをさせていただきたい、と男爵夫人に誓った。さし当っては当城でごゆるりとお寛ぎ願えますまいか。心底からの好意を誓うように彼は男爵夫人の手を執った。だが、言葉が、息がつまった。氷のような戦慄が腹の底までぞっとわななき走った。手は死の硬直に凍《こご》った指にがっきとばかり鷲づかみにされたように感じられ、視力の失せた眼でじっと此方《こちら》を見つめている男爵夫人の、大きな、ぎすぎすと骨ばった身体が、まるでいやらしい雑色の服を着てめかし込んだ死体のような気がしたのだった。「どうしましょう、選《よ》りによってこんな時に、何てことかしら！」アウレーリエがそう声を上げ、それからやわらかい、胸に迫るような声で、哀れな母はときどきこうして突然硬直痙攣《カタレプシー》の発作に襲われるのですけれども、この状態はとくに手当てをしなくてもいつもじきに治ってしまうのです、と訴えるのであった。伯爵はやっとの思いで男爵夫人から逃れ、アウレーリエの手を執って唇に火のように熱く押し当てると、ふたたび甘やかな愛の悦びの燃えるような生命《いのち》がもどってきた。ほとんど成年《としごろ》に達していながら、伯爵が愛欲のあますところない激情を感じたのはこれがはじめてであり、それだけに感情を押し隠すべも知らなかったのである。アウレーリエはそれを、生き生きとした、子供っぽい愛くるしさのうちに受けとめたが、そんな受け方が伯爵の胸にこよなく美《うる》わしい希望の炎をかき立てたのだった。何分かが経って、男爵夫人は硬直痙攣から立ちもどり、いまし方やりすごした発作のことなど露知らぬげに、伯爵に向って、しばらく城に逗留せよとのお申し出まことにかたじけなく、父上のなされた間違いもこれでみな一気に水に流せます、ときっぱりと答えるのだった。こうして伯爵の家政はいまや突然一変してしまい、伯爵は、運命のあらたかな恵みが地上広しといえども唯一人しかいない女《ひと》を送り届けてくれたのだと考えないわけにはいかなかった。彼女こそは自分がこよなく熱愛し敬慕する花嫁となって現世《うつしよ》の至上の幸福を授けてくれる女性なのではあるまいか。老男爵夫人のふるまいは変らなかった。物静かで、いかめしくて、打ちとけない風情さえ見え、そしてふとしたときに、温柔な気立てと、きよらかな歓びにならなんであれ打ちとける心とを垣間見せた。伯爵は、老女のじつに奇妙な皺を彫り込んだ死人のように蒼ざめた顔にも、幽霊じみた身体つきにもしだいに馴れっこになり、なにもかもその持病のせいにし、また陰鬱な夢想癖のせいとも考えた。というのは、使用人たちの口から、男爵夫人が夜になると時折庭園を通って墓地の方へ散歩するらしいという噂を聞いていたからである。彼は、自分がそれほど父の偏見のとりこになっていたのではあるまいかと考えてみずから恥じた。年老いた伯父は、彼が冒されている感情に打ち克つように、晩かれ早かれかならず彼を破滅の淵に突き落すことになる関係を清算するように、執拗に警告していたが、その効果もまるでむなしかった。アウレーリエのつつましやかな愛を熱烈に確信しながら、彼は結婚の承諾をもとめた。底なしの窮乏を救われて幸福の城にいるわが身を目のあたりにした男爵夫人が、この申し出をいかばかりな歓びをもって迎えたかは、容易に察しがつこう。アウレーリエの貌《かんばせ》からは、蒼白さと内心の償うことのできぬ重い悲傷とを物語るあの特殊な表情とが消え、愛の浄福が眼《まなこ》から輝き出し、その頰の上に薔薇色にきらめいた。婚礼の日の朝、ある衝撃的な偶然が伯爵の願いをつまずかせた。男爵夫人が墓から程遠からぬ庭園の地面にうつ伏せになって息絶《ことき》れているのが見つかり、いましも伯爵が床《とこ》を立って、幸福をかち獲った歓喜の情にひたりながら窓の外をながめやっているところへ、城に運び込まれてきたのであった。彼は、男爵夫人はいつもの病気に襲われただけなのだ、とばかり思っていた。だが、あらゆる手段《てだて》をつくして生気を取りもどそうとしてはみたが、結果はむなしかった。彼女は死んでいたのだ。アウレーリエははげしい悲痛の発作に身をゆだねるというより、ひたと押し黙って、涙も流さずに、ふいを打たれた衝撃に胸の奥底で麻痺してしまっているかのように見えた。伯爵は愛するアウレーリエのために心を痛めた。そしてごく控え目に気を配りながらではあったが、彼女のいまは誰頼るものとてない孤児である身の上を思い起すように迫った。それなればこそしかるべきことは見合わせて、さらにしかるべきをあえてすべきなのだ、つまり母の喪にもかかわらず一刻も早く結婚式を急ぐ必要があるのだ、と。するとあろうことかアウレーリエは伯爵の腕《かいな》に身を投げて、よよとばかり涙にかきくれながら、身を切るような、胸を突き刺すような声をあげ、「そうですわ——そうですとも！——後生ですから、私の幸福《しあわせ》のために、お願いですわ！」と叫ぶのだった。——伯爵はこの内心の感情の激発を、アウレーリエがひとり寄辺ない身となって帰る故郷もなくどことといって行く先も知らず、といって城にいつづけることは礼儀が許さない、そんな切ない思いのせいであるにちがいないと考えた。彼は、数週間後にあらためて婚礼の日を迎えるまで、老貴婦人を一人アウレーリエの話し相手になるように取り計らった。その日はほかに悪しき突発事故に妨げられることもなく、ヒッポリートとアウレーリエの幸運をことほいだ。とこうしながらも、アウレーリエはたえず苛立たしく緊張している状態に陥っていた。母を失ったことにたいする心の痛手ではない、なにかひそやかな、言うにいえない、潰滅的な不安にたえまなく追跡されているように見えるのだった。こよなく甘美な愛のささやきの只中ですら、突然、急激な恐怖に襲われたようにおそろしく顔面蒼白になり、はげしく涙にかきくれながら、眼に見えない敵の力にさらわれて破滅の淵に引きずり込まれぬようにかじりついていたいのだ、といわんばかりに伯爵を双腕《もろうで》に抱きしめては、「いいえ——いや、絶対にいや！」と叫び立てるのであった。——伯爵との婚礼を了えたいま、ようやく苛立ちの発作は歇んだように見え、あの人知れぬ恐ろしい不安も立ち去ったように思われた。自明のことながら、伯爵はアウレーリエの内心を惑乱させるなにやら悪しき秘密の所在を察してはいたが、アウレーリエの苛立ちがなおもつづいていて、彼女自身が沈黙を守っているかぎり、事の次第を訊ねるのは当然大人気ないことだと考えていたのである。いまや彼は、アウレーリエの奇妙な気分の原因は何だったのだろうと、あえてそれとなく仄めかしてみた。するとアウレーリエは、愛する夫であるあなたにいま胸のうちをすっかり打ち明けてしまうのが自分にとっていいことなのだ、と断言するのであった。話を聞いて伯爵のすくなからず驚いたことには、アウレーリエの錯乱のもととなった悲痛の原因はもっぱら母の邪《よこしま》な仕打ちにほかならないというのである。「世のなかにレーリエは叫んで、「自分の母親を憎み、嫌悪しなければならないということほど恐ろしいことがありましょうか？」。とすると父は、伯父は、誤った偏見のとりこになっていたわけではなかったのだ。そして男爵夫人は巧みにねこかぶりを凝らして伯爵をまんまと欺いたのだ。あの悪い母が結婚式の当日に死んだのは、自分の平穏に幸いした運命の賜《たまもの》だった、伯爵はいまにしてそう考えないわけにはいかなかった。彼はその思いを隠しもしなかった。だがアウレーリエの説明したところによると、母が死んだその瞬間、暗いぞっとするような予感に襲われるのを感じ、死人が墓のなかから蘇って、愛する人の腕から奈落の淵へ自分をさらっていくのではあるまいかという恐ろしい不安にどうしても抗うことができなかったというのである。アウレーリエはおぼろげに幼い少女時代のことを想い起した（と彼女は語るのであった）。ある朝、眠りから醒めると、家のなかが恐ろしい騒ぎになっていたのだった。ドアというドアがばたばたと開《あ》け閉《た》てされ、知らない人たちの声ががやがやと聞こえてきた。それがようやくすこし静まったかと思うと、子守女が彼女を抱きかかえて大きな部屋に運び込んだ。大勢の人間が集っており、真中の細長い卓子《テーブル》の上に、よくアウレーリエと一緒に遊んでくれ、砂糖菓子を食べさせてくれる、彼女がパパと呼んでいた男の人が長々と横になっていた。アウレーリエはその人の方に小さな手を差し出して接吻《くちづけ》をしようとした。だが、ふだんは温かかった唇が氷のように冷たくて、アウレーリエは、自分でも何故かわからなかったが、突然大声を上げて泣き出してしまった。子守女が彼女を知らない家に連れていき、そこにしばらく住んでいると、それからようやく女の人が一人現われて、彼女を馬車に乗せた。それがいまや彼女の母なる人で、この人とアウレーリエとはそれからほどなくして首都に向って旅立ったのであった。十六歳位になったときのことだったろうか、一人の男が男爵夫人の家に現われた。男爵夫人はこの男を旧知の最愛の知人のように親しげに歓待した。男はしだいに頻繁に訪ねてくるようになった。そしてまもなく男爵夫人の家の様子は目立って変ってきた。それまでは屋根裏部屋に住み、みすぼらしい服とまずしい食事でやりくりをしていたのが、いまは打って変って首都でも選りぬきに美しい界隈の見事な邸宅に移り、はなやかな衣裳を着飾り、毎日のように食事に招かれて客となるあの見知らぬ男と一緒にすばらしい御馳走を飲んだり食べたりもし、また首都で催されるありとあらゆる公けの祝宴に顔を出すようにもなっていた。アウレーリエにだけは、この明らかに見知らぬ男のお蔭と覚しい母の境遇のはなやかな変貌も、まったく無縁であった。男爵夫人が見知らぬ男といそいそと遊びに出かけるときにも、彼女はひっそりと自分の部屋に引き籠って、前に変らぬみすぼらしい恰好をしていなければならないのだった。見知らぬ男は齢の頃なら四十がらみであったに相違ないが、にもかかわらず非常に溌剌とした若々しい容姿の持主で、身体つきはすらりとして高く、顔立ちもまず男性的な美しさがあると称して差支えなかった。それでいてアウレーリエにはこの男が不快であった。というのも、つとめて典雅にふるまおうとする節が見えはしたが、どうかすると態度が無作法で、下卑て、賤しげになることがあったからである。男はしかしアウレーリエの顔をいつかじっと眺めはじめるようになって、そのときの眼つきが、アウレーリエには自分でも理由をはっきりさせることはできなかったが、無気味な恐怖で、いや嫌悪の情で彼女をいっぱいにした。このときまでというもの、見知らぬ男のことをアウレーリエにたった一言でも話題にする甲斐があろうとは、男爵夫人は露だに考えたこともなかった。いまや男爵夫人はアウレーリエに男の名前を語り、その男爵が巨万の富の持主で、しかも遠い親戚に当る人だ、とつけ加えた。男爵夫人は彼の容姿を讃め、美点を讃めて、最後に、アウレーリエが彼を好きかどうかという問いで締めくくった。アウレーリエは見知らぬ男にたいして抱いている内心の嫌悪を口外しないではいられなかった。すると男爵夫人はどうしたことか、アウレーリエをぞっとおびえさせるような眼差しで一瞬キラリと眼を光らせ、何も知らないねんねのくせにと罵るのであった。そんなことがあってからまもなくして、男爵夫人はアウレーリエに以前とは打って変った愛想の好さを見せるようになった。アウレーリエは美しい衣裳やあらゆる種類の夥しい流行の装身具をあたえられ、公けの遊宴に連れ出された。見知らぬ男はいまや、アウレーリエにはそれがなおのこと忌わしく思えるような調子で、懸命に彼女の寵を買おうとしていた。彼女の柔かい乙女心が致命的に傷つけられたのは、しかし、ある悪しき偶然のために見知らぬ男と堕落した女との胸の悪くなるような醜行をひそかに目撃することになったときのことだった。それから数日経ったある日、見知らぬ男は生酔《なま》い気分にまかせて、あきらかに忌わしい意図の見えすいている風情でアウレーリエを腕に抱きすくめた。すると絶望のあまり彼女にはやおら男のような力が湧いて出たのである。見知らぬ男を突きとばし、相手がもんどり打って転倒するすきに、その場を逃れて部屋に閉じこもった。だが、男爵夫人がアウレーリエに向って冷ややかにきっぱりとした口調で断言するには、この家の経済《かかり》を何から何まで賄ってくれているのは見知らぬ男であり、昔の貧乏生活に舞い戻るつもりは毛頭ないので、この家でいくらつまらぬお嬢さん気取りの見栄を張ったところでいやらしくもあれば無用でもあるだろう、というのであった。アウレーリエは見知らぬ男の思いのままに身をまかせなくてはならない。さもないと私たちを捨てるとあの男は脅迫しているのだ。アウレーリエの切なげな懇願にも、熱い涙にも眼もくれずに、老女は嘲るような高笑いを上げながら、生活の悦楽すべてからほぼ察しのつくある関係を語りはじめたが、その語り口の破廉恥な忌わしさは、アウレーリエが思わず慄然としたほど醇風美俗の感情をことごとくせせら笑う態のものであった。彼女は自分が孤立無援の状態にあるのを知った。救われる方法は唯一つ、即刻逃げ出す以外にはないようであった。アウレーリエは家の鍵をくすねるすべを知っていた。急場の用に必要なわずかばかりの手回りの品をまとめ、真夜中を過ぎると、母はとうにぐっすり眠り込んでいるとばかり思っていたので、忍び足でぼんやりと燭台の光に照らされた広間を通り抜けた。いましも足音を殺してそっと外に出ようとしていたときのことである、家の扉が突然ガラガラと開いて、そうぞうしい足音が階段を昇ってきた。それが広間に入り、アウレーリエの足元に男爵夫人が転げ込んできた。粗末なきたならしいブラウスを着、乳房と双腕《もろうで》をむき出しにし、白髪は解けてさんばらに乱れている。そのすぐ背後《うしろ》には見知らぬ男が踵を接してきて、「待て、性悪のサタン、地獄の魔女め、婚礼の御馳走の埋合せをしてもらうわ！」と甲高い叫び声を上げながら髪の毛をつかんで部屋の真中に引きずり込み、自分の着ている分厚い上っ張りを手にしてむごたらしい虐待を加えはじめた。男爵夫人がすさまじい恐怖の叫び声を上げ、アウレーリエはいまにも気を失いそうになりながら開いた窓越しに大声で助けをもとめた。機《おり》よくちょうど武装警官巡邏隊の一行が通りかかるところであった。巡邏隊はすぐに家のなかにとび込んできた。「あいつを捕まえて」男爵夫人は憤怒と苦痛にのたうち回りながら警官たちに向って叫んだ。「捕まえて頂戴――あいつを縛って――ほら、上っ張りを着てない、背中をむき出しにしてるあいつよ！――あれが――」男爵夫人が名前を告げると、巡邏隊の指揮をとっていた隊長が大きな歓声を上げた。「ほほう――ウーリアンか、とうとう捕まえたぞ！」一隊はこうして見知らぬ男をとりおさえ、男は懸命に抗おうとしてみはしたものの、無理矢理引きずられていってしまった。思わぬ事件で水が入りはしたものの、男爵夫人はおそらくアウレーリエの目論見に気がついていたに相違なかった。男爵夫人は腹の虫をおさめるために、アウレーリエの腕をいくぶん手荒につかみ、部屋のなかに放り込んで、あとは物も言わずに部屋の鍵を掛けてしまった。翌朝、男爵夫人は家を出て夜遅くまで帰ってこなかったが、その間中アウレーリエは牢屋にいるように自分の部屋に閉じ込められ、誰にも会えず誰の声も聞けなくて、一日中飲まず食わずで過さなくてはならなかった。それから何日かがこんな風にして過ぎた。ときおり男爵夫人は瞋恚に燃える眼《まなこ》でアウレーリエを見つめ、ある決意を下すべきか否かを必死になって思いあぐんでいる様子《こ》だったが、そのうちにある晩、どうやら吉報と思《おぼ》しい一通の手紙を受け取った。「馬鹿な娘だね、みんなお前のせいだよ、だけどもういいの。あたしはね、悪霊がお前に呪いをかけた恐ろしい罰《ばち》が当らなければいいがと思ってるんだよ」こんな風に男爵夫人はアウレーリエに話しかけると、それからまたもや打って変って愛想がよくなり、アウレーリエは忌わしい人物が遠くへ行ってしまったからにはもはや逃げることは念頭になくなっていたのであるが、ふたたび前よりはずっと自由を許されるようにもなったのであった。――それからしばらくして、ある日アウレーリエが折から自室に一人すわっていると、通りの方がなにやらひどく騒がしくなってきた。小間使があたふたと部屋に入ってきて報告するには、かつて強盗殺人の廉《かど》で背中に烙印を捺され、監獄に送られることになったのだが、護送中に看守の隙を見て脱走した死刑執行人の息子が、いまちょうど引っ立てられて通りかかるところだというのであった。アウレーリエは不吉な胸さわぎに襲われて、よろめきながら窓辺に走った。思った通り、夥しい番兵に蟻の這い出るすきもなく取り囲まれ、四人馬車に厳重に監禁されて護送されて行くのは、あの見知らぬ男だった。受刑のために連れ戻されたのだ。男のおそろしく凶暴な眼がふと彼女をとらえ、相手が脅かすような身振りで窓に向って丸めた拳を上げたとき、アウレーリエは思わず失神しそうになって背凭椅子にぐったりと沈み込んだ。――男爵夫人は相変らず家を空けがちであったが、その度にアウレーリエを置き去りにしていった。こうしてアウレーリエはおのが運命をあれこれと思いめぐらし、恐ろしいことが思いもかけず突然身にふりかかってくるのではないか、と案じながら、鬱《ふさ》ぎ込んだ悲しい日々を送った。小間使はそもそもが例の夜の出来事があってから家に入った女で、おそらくそのときはじめてあの詐欺漢が男爵夫人と親しい間柄であったことを人の噂から知ったのであろうが、アウレーリエはその口から、首都の人びとがあのような卑しい犯罪者にあんな呪わしい手口で瞞されたというので男爵夫人にいたく同情を寄せているという話を知った。アウレーリエは、話がまるで違うことは知りすぎるほど知っていたし、余人は知らずすくなくともあのとき男爵夫人の邸内で男をつかまえた警官たちが、男爵夫人が男の名を叫んで犯罪者のまぎれもない徴《しるし》である背中の烙印を指さしたときに、この死刑執行人の息子と男爵夫人が旧知の間柄であることに気がつかなかったなどとは考えられもしないことであった。げんにそんなわけであの小間使もときおり曖昧な態度で、世間であれこれ取沙汰している疑いや、裁判所がきびしい捜査をつづけていて、忌わしい死刑執行人の息子が奇妙なことを口走っているためにに男爵夫人様までが逮捕の危険にさらされているという噂だそうだなどという話を、口の端にのぼせることがあったのである。――哀れなアウレーリエは、男爵夫人が例の事件が起った後でなお一刻にもせよよくもまあ首都に住みつづけていられるものだと、あらためて母の卑劣な心根をそんなところに思い知らされないわけにはいかなかった。男爵夫人はついに、不名誉きわまる、ありすぎるほど根拠のある嫌疑に面と向ってつきまとわれているその土地を離れて、遠い地方に逐電せざるをえない破目に追い込まれたようだった。その旅の途上であのとき伯爵の城にやってきたのであった。それから起った事柄は、これまでに語ってきた通りである。アウレーリエは、いやな心配から一切自由の身となって、天にも昇るような幸福感に浸らないわけにはいかなかった。この至福の思いに浸りながら天の恵み深い配剤を母に語りかけると、アウレーリエのひどく驚いたことには、相手はこともあろうに眼に瞋恚の炎《ほむら》を燃え立たせながら甲高い声を上げて叫ぶのであった。「まったくなんていまいましい、救われない娘だろう、お前は私の厄病神だよ。でもね、すばしっこい死神が私を攫《さら》いにきたら、そのときこそお前の天にも昇る幸福の絶頂で復讐にお見舞いされるのだからね。私の硬直痙攣《カタレプシー》はお前という子を生んだ代償だけれど、あれにはサタンの奸計が宿っているのさ」——アウレーリエはここまで話すとふいに口を緘し、伯爵の胸に身を投げて、男爵夫人が気の狂った憤怒にまかせてそれから口走ったことをもう一度すっかりくり返すことだけは後生だから容赦して下さいませ、と懇願するのであった。邪悪な力に取り憑かれた母の、恐ろしい、もっともひどい凶事の予感さえも上回るような脅迫のことを考えるだに、胸も潰《つい》える思いに駆られるというのだ。伯爵は、自身ぞっとするような死の戦慄が身中をわななき走る思いではあったが、力をつくして花嫁の心を慰めた。いくぶん気が鎮まってからも男爵夫人の根深い忌わしさは、相手が死んでしまっても、さんさんと陽の光の輝く思いであった彼の生活のうちに暗黒の影を投げかけているのだと、みずから認めないわけにはいかなかった。

それからしばらくすると、アウレーリエの上にいちじるしい変化が目立ちはじめた。顔色の死人のような蒼白さ、疲れ切った眼は病気の兆候を物語っているように見えたが、アウレーリエの錯乱した、落着きのない、あまつさえ怯えたような挙動は、心をかき乱すなにか新しい秘密の所在を推測させた。彼女は夫にさえ顔を合わせまいとし、自室に引き籠っているかと思うと庭園のまったく人気《ひとけ》のない場所を訪れたり、それからふたたびふいに姿を現わしたりし、泣きはらした両の眼《まなこ》、面差しのゆがんだ表情は、彼女を苦しめているなにやら恐ろしい憂悶を物語っていた。伯爵は花嫁の容態の原因を探ろうと力をつくしてはみたが空しかった。ついに彼は完全に暗澹たる絶望に陥ったが、この絶望の淵から救ってくれるものといっては、伯爵夫人は並外れて感受性が鋭いために、容態の変化の由々しい症状も、もっぱら恵まれた結婚という悦ばしい前途の前ぶれを語るものにほかならないというさる高名な医師の臆断を措いてほかにはなかった。この医師は、かつて伯爵夫妻と食卓をともにした際、手を変え品を変え前途有望という例の臆測の容態をほのめかしたのである。伯爵夫人は一部始終を興味なげに聞き流していたが、医師の話がこの容態に陥った婦人がときおり経験する奇妙な欲望の問題にさしかかると、突然異常な熱をこめて耳を欹《そばだ》てた。この種の婦人は健康を害することもなく、子供にたいする危険な悪影響もないとはいえ、件《くだん》の欲望に抗い切れないというのであった。伯爵夫人はつぎからつぎへ医師に質問の矢を浴びせた。すると相手は臨床体験からして世にも奇妙な、滑稽きわまる症例の話をつぎつぎに枚挙してやまないのであった。「しかしですね」と医師は言った。「ご婦人を世にも恐ろしい邪道に走らせるようなまことに常軌を逸した欲望の例もあるのです。たとえばある鍛冶屋の女房でしたが、この女はどうしても自分の亭主の肉が食いたくてたまらなくなったのです。そのうちに亭主が泥酔して帰ってきたところへいきなり大きな短刀の不意打ちを食らわせ、むごたらしく肉を切り刻んで、ついに数時間後には亭主を死なしてしまいましたが、そんな結末になるまで例の欲望が嵩じていたのです」

医師が右のように語りおえるが早いか、伯爵夫人は気を失って背凭椅子に崩れ落ちた。そしてやっとの思いで突発したこの神経発作から救い出されることになったのである。いまにして医師は悟ったのであるが、神経の細い夫人の同席しているところであの恐ろしい惨劇の話を持ち出すなどとは、明らかに慎重を欠いたふるまいだったのである。

とはいえ件《くだん》の危機は伯爵夫人の容態に好影響を及ぼしたようであった。というのも、それからまもなく、すこぶる奇妙な硬い表情や、眼のなかの暗鬱な輝きや、しだいにつのりまさる死人のように蒼ざめた顔色が伯爵を花嫁の容態にたいする新たな狂おしい疑惑の淵に突き落しはしたものの、すこしずつ伯爵夫人に落ちつきが戻ってきたからである。しかしながら伯爵夫人のこの容態にはなんとも不可解な点があった。つまり、彼女は食べものをほんのすこしでも口にしようとはしなくなり、むしろあらゆるものに、なかでも特に肉類にはいかにも耐え難いような嫌悪の色を隠そうとせず、それが嵩じてついにはその度に嫌悪の情をはげしくむき出しにしながら食卓を離れないためしとてはなくなってしまったのである。医師の技倆《うで》もはやお手上げ《てだて》であった。それというのも、伯爵がどんなに切なげに愛をこめて懇願しても、どんな手段をつくしても、伯爵夫人には薬のほんの一滴ですら飲ませることができないからであった。こうして伯爵夫人が一口も物を口にせぬままに、何週間も、何箇月もが過ぎ、生命《いのち》をつなぎとめていられるのがなんとも得体の知れない謎であった。そんなわけで医師の主張するには、これには篤実な人間のいかなる科学の領域にもないような何ものかが介入しているにちがいない、というのであった。医師はなにかと口実を作って城を立ちさった。だが、伯爵には容易に察しがついたのであるが、花嫁の容態はこの定評のある医師にとってもあまりにも不可解に思われ、いや無気味にさえ思われて、これ以上時を稼いで、助ける力もないままにいたずらに正体不明の病気の証人となっているのに忍びなかったのである。すべてこうしたことが伯爵をどんな気持に追い込む破目になったかは、想像に難くない。だが、これでもまだ足りなかったのである。——ちょうどこの頃、一人の古手の忠実な従僕がたまたま伯爵と二人きりになった機会をとらえて打ち明けたところでは、伯爵夫人は夜な夜な城を脱け出してはようやく暁け方になる頃に戻ってくるというのであった。伯爵は思わず鳥肌立つような思いであった。いまにして思い当ったことであるが、彼はしばらく以前から真夜中近くなるといつもすこぶる不自然な眠気に襲われるのである。いまや不自然な眠気は、伯爵夫人が良俗に反して夫とともにしている寝室を他人眼《ひとめ》に立たずにそっと脱け出すために投薬している、なにか催眠剤のようなもののせいにちがいないと知ったのであった。どす黒い予感が胸元にこみ上げてきた。おそらくいまにしてようやく娘にその素質がめざめたのやもしれぬ悪魔のような母親の面影が脳裡に泛《うか》び、なにやら忌わしい姦通関係が、邪悪な死刑執行人の息子の話が想い起された。――明くる日の夜こそはなんとしても、それこそが花嫁の不可解な容態の原因であるはずの、おそるべき秘密の帷《とばり》をあばいてみせよう、と伯爵は考えた。伯爵夫人は毎晩、伯爵の喫《の》むお茶を手ずから淹《い》れてから席を立つ慣わしであった。その日は伯爵は一口もお茶に口をつけなかった。すると習慣通りベッドに入って読書に耽っていて、真夜中になっても、ふだんなら襲ってくる睡魔が一向に気配を見せないのであった。それでも褥《しとね》の上にのけざまに倒れて、やがて前後不覚に寝入ったような姿勢をとった。と、伯爵夫人がそっと足音を殺して臥床《ふしど》を脱け、伯爵のベッドにあゆみ寄ると燭台で顔を照らし、それから忍び足で寝室を出て行った。伯爵の胸は高鳴った。起き上り、マントを羽織ると、こっそりと花嫁のあとを追った。月影あくまでも冴えた夜であった。そのせいで伯爵は、相手がかなり先の方をあるいているのに、白い夜着にくるまれた装立《いでた》ちのアウレーリエの姿を夜目にも鮮かに見てとることができた。伯爵夫人は庭園をくぐり抜けて墓地に通ずる道をとり、墓地の塀際までくるとふっと消えた。伯爵は墓地の塀の通用門が開いているのを見てとると、彼女の背後から素早く中にすべり込んだ。このとき月明りの冴えわたるなかにすさまじく妖怪じみた人間の一群を目のあたりにしたのである。髪をなびかせた半裸の老婆たちが地べたにべったりと蹲《しゃが》み込み、その環の真中に一人の人間の死体が横たえられ、それを狼のような欲望をむき出しにしてむさぼり啖っているのだ。――そのなかにアウレーリエがいたではないか！――伯爵は嵐のような恐怖の戦慄のうちにまっしぐらに墜ちていった。おそろしい不安、地獄の恐怖に駆り立てられて、庭園の小径《こみち》をくぐり抜けて一目散に走りまくり、気がつくと清澄な朝の明ける頃、ぐっしょりと汗にまみれて、ようやく城の門のところまで帰りついていた。われ知らず、はっきりと考えをまとめることもできぬままに、階段を駆け上り、部屋のなかを走り抜けると、寝所に入った。そこには伯爵夫人が、見た眼には優しい、甘やかなまどろみに浸りつつ横たわっているのであった。伯爵はわれとわが胸を納得させようとした。自分をあの死なんばかりの不安に陥れたのは、一場の夢にすぎなかったのだ、そうでなければ、夜道をさまよいあるいたのはマントが朝露にしとどに濡れていることからしてもわかるように間違いようがないのだから、むしろ気の迷いが因《もと》の幻影だったのか。伯爵夫人の目が覚めるときを待たずに、彼は部屋を出て服を整え、馬に打ちまたがった。快い香りの立ちこめる灌木の間からは、目覚めどきの小鳥たちの悦ばしげな歌が語りかけ、その間《あわい》をくぐって快晴の朝のさなかを乗り回していると、夜の恐ろしい影像は追い立てられていった。心和《なご》み、気分もさわやかに晴れて、彼は城に舞い戻った。さてしかし伯爵夫妻が二人だけの差し向いで食卓につき、火を加えた肉が出されていたために伯爵夫人がはげしい嫌悪の徴候《しるし》もあらわに部屋を出て行こうとしたときのことである。ふいに夜中に見た顚末の真相が伯爵の心中に残酷に姿を現わしたのであった。凶暴な憤怒にかられて彼はいきなり跳び上り、恐ろしい声を上げて叫んだ。「呪われた地獄の落し子め、人間の食べものに貴様が眼をそむけるわけは知っているぞ。貴様は墓をあばいては餌食を引きずり出しているのだ、悪魔の情婦《いろ》めが！」だが、伯爵がこの言葉を口にするが早いか、伯爵夫人は物凄い唸り声を上げながら襲いかかり、ハイエナの狂暴さで相手の胸倉にがっきとばかり歯を立てた。伯爵は荒れ狂う女をもぎ離すと地面に向って叩きつけ、こうして彼女はむごたらしく痙攣しながら悶絶したのであった。——伯爵は狂気の闇に落ちた。

カルパチアの城

――エピソード――

ジュール・ヴェルヌ

安東次男訳

テレク伯爵家は、ルーマニアの、もっとも古く、もっとも有名な家の一つで、一六世紀はじめ頃、国が独立をかちとる以前から、ルーマニアできわだった地位を保っていた。この地方の歴史を形づくる、あらゆる政治的有為転変のうちにあって、この家の名はそこに輝かしく書きこまれている。

現在は、まだ三本の枝ののこっている、カルパチアの城の名高いブナの木よりも恵まれないありさまで、テレクの家はただ一本の枝、クラヨワのテレクの枝となってしまい、その最後の子孫が、このヴェルスト村にやってきた若い貴族であった。

幼少時代、フランツは、テレク伯爵夫妻の住んでいた先祖伝来の城を、一歩もはなれたことがなかった。この家の子孫たちは、人びとから非常に敬われており、自分の財産を気前よくつかっていた。地方貴族として、彼らは悠々と、気楽に世を送り、年に一度クラヨワの領地をはなれるかはなれないかであったが、それさえもせいぜい四、五キロしかはなれていないところからさっそく用事で呼びもどされるというふうだった。

こうした生活が、必然的に、この家のひとり息子の教育に影響をあたえた。そこでフランツは、ながいあいだ、自分の青春の送られることになった環境を恨みに思った。彼の唯一の家庭教師は、自分の知っていることしか教えることのできない、年とったイタリアの坊さんだった。そのため彼は、たいした知識を得られなかった。子供から青年に成長したものの、彼は、科学や、芸術や、現代文学について、まことに不充分な知識しか手に入れることができないでいた。熱心に狩りをすること、森や野原を昼も夜も駆けること、鹿や猪を追うこと、手に短剣をもって、山々の獣とたたかうこと、こうしたことがこの若い伯爵のふだんの気晴らしであり、彼は非常に勇敢で決断力があったから、こうしたきびしい鍛練にあって真の勇気を見せた。

テレク伯爵夫人が死んだとき、この息子は、やっと一五歳だった。彼が二一歳になったとき、父伯爵は、狩猟中の事故で死んだ。

若いフランツの悲嘆ははなはだしかった。母の死を悲しんだように、父のために涙を流した。わずかな年月のうちに、両親とも彼からうばわれてしまった。彼のもつすべてのやさしさ、彼のいっさいの情愛の念は、このときまでこの肉親への愛に集中しており、その愛は、少年期、青年期の真情の吐露の対象として充分なものだった。が、その愛が彼から失われると、友人もひとりもなく、家庭教師も死んで、彼はいよいよこの世にひとりとりのこされてしまった。

若い伯爵は、それからなお三年、そこから出る気になれずクラヨワの城にとどまった。彼はそこで、外部とはなんの交渉をももとうとしないで暮した。いくつかの仕事のため、やむをえず、一、二度ブカレストへ行っただけである。彼は急いで領地へもどったから、それは短い留守でしかなかった。

しかしながら、この生活がいつまでもつづくというわけにはいかなかった。フランツはついに、ルーマニアの山々にせまく限られた地平線をおしひらいて、遠くへ旅立ちたいと思うようになった。

若い伯爵は、まもなく二三歳になるというとき、旅に出る決心をした。彼の財産は、彼の新しい生き方をみたすに充分だった。ある日、彼は、年とった家臣のいるクラヨワの城を捨て、ロッコだけをともなって、ヴァラキアの国をはなれた。ロッコはすでに一〇年前から、テレク家に仕えている古いルーマニアの兵士で、若い伯爵の狩猟には、いつでもお供をしていた。彼は勇気と決断力に富み、その主人にいっさいを捧げていた。

若い伯爵の意図は、ヨーロッパを訪ねることであり、数か月、大陸の重要な首都や都市に滞在することだった。彼は、もちろん、自分がクラヨワの城でえた荒削りの教養が、プランを周到に練った今度の旅行中の知識によって完成することを期していた。

フランツ・ド・テレクは、イタリア語は、例の年とった坊さんに習って、かなり流暢にしゃべることができたので、まずイタリアを訪れた。彼はここに四年とどまったが、それも、数多くの感銘を与えるこの土地の魅力のためで、まず彼がそこに引きつけられたためである。フィレンツェに行くためにヴェネチアをはなれ、ナポリに行くために、ようやくローマに別れを告げた。つねに芸術の中心地に吸いよせられて、そこから動くことができなかった。フランス、ドイツ、スペイン、ロシア、イギリスを遅れて見、少なからぬ興味をもってそれらの地を研究することになったが、彼はすでに年を加え、成熟した考えをもつようになっていることを、自分でも感じた。反対に、イタリアの大都市の魅力を味わうには、たぎりたつ若さこそ必要だったのである。

フランツ・ド・テレクは二七歳、彼は最後にナポリへ行った。彼はシチリアへ旅立つ前に、わずか数日をここで過すつもりだった。彼は自分の旅を、かつてのトリナクリアの地を探査することで終えたいと思った。それから、一年の休息をとるために、クラヨワの城へもどればよい。ところが、思いがけないことが起って、彼の意図を変えたばかりか、彼の生涯を決定し、その流れを別のものにしてしまったのである。

イタリアで生活した数年間のうちに、若い伯爵が自分でもどうにも才能をみつけることのできなかった科学の面で、たいしたものを身につけることができなかったのに反して、少なくとも美的感情だけは、盲人が光を知るように彼のうちにめざめたのだった。彼の精神は、芸術の光輝に大きく開かれ、ナポリやヴェネチアやローマ、そしてフィレンツェの美術館を訪れて、絵画の傑作を前にしたときは、感激をおぼえずにはいられなかった。同時に、演劇によって、彼はその時代の抒情的作品をおしえられ、偉大な俳優たちの演技に動かされたのであった。

それは彼のナポリでの最後の滞在の日々だった。あの特別の出来事が、ちょうどもたらされようとしていたそのころ、彼の心は、一つの、以前よりもしみじみとした自然感情と、より透徹した洞察力を自分のものとしていた。

その時代、サン・カルロ劇場に、ひとりの有名な女の歌手がいた。その澄んだ声、完成された歌唱法、劇的な演技は、オペラ愛好者たちの讃嘆の的となっていた。そのころまで、このラ・スティラは、外国人の拍手を浴びたいと思ったことは一度もなかった。で、彼女は作曲技術で首位を占めるイタリア音楽のほかは、どんな歌も唱わなかった。トリノのカリニャン、ミラノのスカラ座、ヴェネチアのフェニーチェ、フィレンツェのアルフィエリ劇場、ローマのアポロ劇場、ナポリのサン・カルロと、順々に彼女は唱っていた。そこで大いに成功していたから、彼女はヨーロッパの他の舞台にいつか出演したいなどとは少しも思っていなかった。
その頃二五歳だったラ・スティラは、比べもののない美女で、金色のながい髪をもち、黒く深々とした目には炎がもえ、顔立ちは純粋で、その肌は熱く、ギリシアの彫刻家プラクシテレスの鑿《のみ》も、これ以上に完璧につくることはできないと思われる胴《ウエスト》まわりをしていた、ミュッセが次のように讃えたマリブラン（パリ生まれのスペイン系の歌手）を髣髴とさせるすぐれた歌手が、いまひとりこの女人から生まれ出ようとしていた。

してそなたの空にひろがる歌は苦悩をば運び去りぬ！

しかもこの声は、詩人のうちでもとりわけ愛されたこの詩人が、その不朽の詩節《スタンザ》のうちに、次のように賞め讃えたものであった。

……この心の声はただ一つ心にとどくもの

この声、これこそまさしくラ・スティラの声であり、それは言いあらわしがたい絢爛さをもっていた。

が、こんなにも完璧に、愛の調べ、魂のもっともつよい感情を生みだす偉大な芸術家が、人の噂では、一度も愛を自分では感じたことがないというのだった。彼女は一度も人を愛したことがなく、彼女の目は一度も、舞台の自分をつつむ数多くの眼差しに答えたことがないのだった。彼女は、自分の芸術のなかにしか、ただ一つ芸術のためにしか、生きることをのぞんでいないかのようだった。

フランツは、はじめてラ・スティラを見てからというもの、抵抗しがたい初恋の情をおぼえた。そのため、彼はイタリアを去るという当初の考えを捨て、シチリアを訪れてから、シーズンの終りまで、ナポリにとどまろうと決心した。

彼は、まるで切っても切れない目に見えない絆で、歌姫にむすびつけられでもしたかのように、彼女の舞台の全部に通った。その舞台には観客の感激によって真の成功がもたらされていた。フランツは何度か、自分の情熱をおさえることができなくなり、彼女のそばに近づこうとした。しかしラ・スティラは、他の多くのファンに対すると同じように、彼にもまた容赦なく門を閉ざしたままだった。

この若い伯爵が、やがてほかの男たちの不平をいやがうえにもかきたてるということになった。彼はラ・スティラのことしか思わず、彼女の姿を見、声を聞くためにのみ日を送り、その名や財産のために自分をもとめている社交界とは関係を断ち、心と気持ちをつねにはりつめていたから、健康もそのうちに案じられることになりそうだった。もしも彼にライバルがあったとしたら、彼は苦しんだにちがいないと思われた。しかし、彼はどんな男たちも——あるひとりの人物、この物語の成り行きからしても、その顔立ちと性格を知っておいてよい、ある非常にふしぎな人物でさえも――自分に嫉妬心など起させはしないだろうということを知っていた。

その人物は五〇から五五歳のあいだに見えた。――少なくともフランツ・ド・テレクの、ナポリへの最後の旅の際には、そう思われていた。人前にあまり出たがらないこの人物は、上流の人びとの受け入れる社会的慣習を好んで無視しているかのようだった。彼の家族、地位、過去についてだれも知らなかった。今日はローマかと思えば、明日はフィレンツェにいた。そして肝要なことは、彼がどこにいるかは、ラ・スティラが、フィレンツェにいるかローマにいるかによってきまっていた。実際、このふしぎな人物の情熱で人に知られたものは、ただの一つであった。それは歌唱の世界で、そのときにもっともはなばなしく脚光を浴びているプリマドンナの歌を聴くことである。

フランツ・ド・テレクは、ナポリの劇場でラ・スティラを見た日から、彼女ひとりのために生きていたが、このふしぎなオペラ・ファンのほうは、すでに六年前から、ラ・スティラを聴くことのみの生活をしていた。この歌姫の声は、まるで吸う息のごとく、その男の生活に必要なものとなっているように見えた。彼は一度たりと、舞台の外で彼女に会おうとしたことはなく、その家を訪ねたことも、手紙を書いたこともなかった。しかし、ラ・スティラが唄うときはいつでも、それがイタリアのどのような劇場であろうと、暗い色の丈ながいオーバーを着け、顔までかくす大きな帽子をかぶったひとりの男が、切符売り場の前を通るのが見られた。この男は、まえもって自分のために予約しておいた、柵のある桟敷席の奥に急いですわるのだった。上演が終わるまで、彼はその場所に閉じこもり、動くことなく、黙りこくっていた。やがて、スティラが、その最後の一節を唱い終わると、彼は逃げるように立ち去り、他の男性や女性の歌手には見向きもしなかった。彼は、ラ・スティラ以外の歌手を聴いたこともなかった。

この倦むことを知らないふしぎな観客は、いったい何者だろうか？ ラ・スティラが、その名を知ろうとしてもむだだった。非常に感受性のつよい彼女は、しまいには、そのふしぎな男のあらわれるのを懼れるようになった。——その懼れは、現実的ではあったが、理屈に合わない話だった。男は桟敷の奥にいて、柵をさげることがなかったので、彼女はその姿を見つけることはできなかったが、彼女は、そこに彼のいることがわかり、自分のほうにいつも向けられた、はりつめた視線を感じた。その視線は、彼女が舞台へ出ると観客のあげるブラボーという叫びも聞こえないほどに、彼女の気持ちを乱した。

人の噂では、この人物はけっして、ラ・スティラの前に姿をあらわさないということだった。しかし、あるいはこの男が、ラ・スティラと知り合いになろうとはしなかったとしても——この点をとくに強調しておきたいのだが——この歌姫を思いだすよすがとなるあらゆるものに、変わることのない関心をしめすのだった。こうして彼は、偉大なミシェル・グレゴリオが、もっとも美しい役どころの一つに扮した、情熱的で、ふるえているかのような、崇高なこの歌姫を描いた肖像画の、なかでもいちばん立派なのを所有していた。高価な値段で買いもとめたこの肖像画は、ふしぎなこの讃美者が支払っただけの値打ちをもっていた。

が、この人物が、ラ・スティラの舞台の桟敷席にいるとき、いつもただひとりだけだったからといって、また、彼が劇場へ行く以外は、自分の家から一歩も出ないからといって、彼が完全にひとりで生活していると結論してはならない。そうなのだ。彼と同じように奇妙な仲間が生活を共にしていた。

この人物はオルファニクという名だった。彼が何歳か、どこからきたのか、どこの生まれか？この三つだけはだれにもわからなかった。彼のいうところによると――というのも彼はおしゃべりだったからだが――彼は世に入れられない学者のひとりで、その才能は日の目を見ず、また彼のほうも世間を嫌っていた。なかには、この男は、金持ちのオペラ愛好家の財布を当てにした一種の発明狂ではないかと想像するものもいた。

オルファニクは中位いの背で、痩せてみすぼらしく、骨と皮だけで、古いことばで「エジプト豆の顔」といわれる、青ざめた風貌をしていた。とくに目だつのは、右目に目かくし革をつけていることで、物理か化学の実験で失明したとのことだった。しかし鼻には、分厚い眼鏡をかけ、みどりがかった色をした左の目は、その一つきりの近眼レンズをとおして見えた。ひとりで散歩しているとき、彼は、まるで一度も返事をしないで話だけを聞いている、なにものか目に見えぬ人としゃべっているようなしぐさをした。

このふたりの男、奇妙な音楽狂と、それに劣らず奇妙なオルファニクは、少なくとも彼らがそのようにしているかぎりは、オペラのシーズンにはイタリアの方々の町にきちんとあらわれ、人にもよく知られていた。彼らは人びとの好奇の目の対象となっていた。このラ・スティラの讃美者は、つねにジャーナリストたちと、そのぶしつけな面会をことわりつづけていたが、そのうちに、ついに彼の名前と国籍が知られるにいたった。この人物は、ルーマニアの出身であり、フランツ・ド・テレクが、どういうお名前かと人びとにたずねたところ、次のような答えがかえってきた。

《ロドルフ・ゴルツ男爵》

若い伯爵がナポリについたばかりのころの事情はそのようなものだった。二か月このかた、サン・カルロ劇場は満員の盛況で、ラ・スティラの成功は夜ごとに高まっていた。彼女はこれまで一度も自分のレパートリーのさまざまな役柄で、こんなにもめずらしい出来をしめしたことはなかったし、これまでこんなに熱烈な喝采を博したこともなかった。

上演のあるたびに、フランツは一階前方の上等席にいたが、他方、ゴルツ男爵は、桟敷席の奥にかくれ、妙《たえ》なる歌にひきこまれ、それなくしては生きた気がしない心にしみ入る声にひたっていた。

このとき、一つの噂がナポリにひろまった。——それは一般の人びとが信じたくないような噂だったし、一連のオペラ・ファンを気遣わせずにはおかないようなものだった。

それによれば、シーズンが終わったら、ラ・スティラは舞台をはなれるだろうというのだった。なんということだろう? 彼女のあのみちあふれる才能、こぼれるほどの美貌、芸術家としてのキャリアの絶頂にあって、彼女が引退を考えるということがありうるものだろうか?

その噂がほんとうとは思えなくとも、いえることは、おそらくゴルツ男爵が、彼女のこの決心の原因の一部をつくっているだろうということだった。

桟敷席の柵のうしろにいてその姿は見えなかったにせよ、いつもそこにいたふしぎな振舞いの主、ゴルツ男爵のために、彼女は避けようとしても避けることのできない、神経的な執拗ないらだちをかきたてられるようになったのだった。舞台に出るとすぐに、彼女は胸がいっぱいになり、だれの目にもそれとわかるその惑乱のせいで、少しずつ彼女の健康も害われるほどだった。ナポリをはなれ、ローマにのがれ、ヴェネチアへ行き、イタリア半島の他のあらゆる街へ行っても、彼女は思ったとおり、ゴルツ男爵の存在から解放されることができなかった。イタリアを出て、ドイツ、ロシア、フランスへ行っても、彼をのがれることはできない。彼女の唱うところならどこへでも彼はついてきた。この執拗な目から解放される唯一の方法は、劇場をはなれることでしかなかった。さて、すでに二か月前になるが、あの引退の噂がひろまる前のこと、フランツ・ド・テレクは、この歌姫に近づいてみようと決心していた。その結果、不幸なことに、どうにもとりかえしのつかないことになるにいたったのだが、ともかく、身分を捨てた、莫大な財産の持主として、彼は彼女に自分をみとめさせ、テレク伯爵夫人になってはもらえないかと切りだした。ラ・スティラは、ひさしくこの若い伯爵に味わわせてきた気持ちがよくわかっていた。彼女は伯爵を、女ならばだれでも、どんな上流の女であっても、自分の幸福を委ねるにたると考えるだろう。それゆえ、フランツ・ド・テレクが結婚を申し込んだとき、彼女はつつみかくすことのできない好意をもってそれを受け入れた。彼女は全面的な信頼をもって、テレク伯爵夫人となることに同意し、オペラ歌手としての経歴を捨てることも惜しいとは思わなかった。

ニュースはこのようにほんとうのことだった。サン・カルロのシーズンが終わったなら、彼女はもうどんな舞台にも姿を見せないだろう。この結婚のことを人びとは多少の疑念をもって見ていたが、やがてそれが確実であることがわかった。

この結婚は、芸術界のみならず、イタリアの上流社会に、驚くべき反響をまきおこしたらしいことは、事実だった。この若い伯爵は、その芸術と成功から、ファンたちの盲目的崇拝から、この世紀の歌手を力ずくでうばいとったわけであり、このため彼に嫉妬と憎しみが襲いかかった。そのあげく、個人的脅迫が、フランツ・ド・テレクに向けてなされた。——若い伯爵は、しかし少しもその脅迫をおそれなかった。

だが一般大衆のほうはあきらめても、ロドルフ・ド・ゴルツ男爵の受けとったものは、また別だったと思われる。スティラが自分の手からうばわれようとしている。彼は自分が生きている理由を失ったと思うだろう。あの噂がひろまり、彼はついに自殺を試みた。たしかなことは、その日から、ナポリの街々を走るオルファニクの姿が見られなくなったことである。ロドルフ男爵ひとりではなく、彼もまた何度となく、毎回男爵がとっておいたサン・カルロの桟敷席に男爵とともにきていた。——強情な彼にはついぞなかったことで、他の学者同様、彼も音楽の魅惑に抗しがたくなっていた。

けれども、日は経った。人びとの気持ちはおさまらなかった。ラ・スティラが舞台に最後にあらわれるというその晩、それは絶頂に達した。彼女がファンに「さよなら」ということばを投げることになっていたのは、マエストロ・アルコナッティの傑作『オルランドー』のアンジェリカという、すばらしい役を演じたあとになっていた。

その晩、サン・カルロ劇場の入り口におしかけた観客の全部を入れるには劇場は十倍も大きくなければならなかっただろう。客の大部分は広場にはみだすしかなかった。人びとはテレク伯爵に対する示威運動を心配した。ラ・スティラが舞台にいるあいだのことではないにしても、少なくともオペラの第五場で、幕がおりるときがひとつのやまである。

ゴルッ男爵は、自分の桟敷席に陣取っていた。そして今度もまた、オルファニクの姿は男爵の傍らに見えなかった。

ラ・スティラは、かつてないほど昂奮してあらわれた。しかし彼女は、やがて平静をとりもどし、天与の声に身をまかせ、おどろくべき完全さと、比類のないひらめきをみせて唱った。それは筆舌につくしがたいほどだった。観客たちに彼女がかきたてた、ことばではいえない感激は、とどまるところを知らなかった。

上演のあいだ、若い伯爵は、舞台裏の奥にじりじりしながらがまんしつづけ、熱に浮かされたようになっていた。おちつくことはもうできず、舞台のながいのを呪いつつ、拍手と喚声でなおも舞台が長びくのにいらだっていた。ああ！　この劇場から、未来のテレク伯爵夫人となるひとをうばいとるのになんと時がかかったことか。彼女を遠くに、はるか遠くに、このうえなく遠くにつれて行き、自分のもの、ただ自分ひとりのものにすることだ！

『オルランドー』のヒロインの死ぬ、ドラマチックな場が、ふいにやってきた。アルコナッティのみごとな音楽が、こんなにも心にしみ入るように思われたことはなかった。ラ・スティラが、こんなにも情熱のこもった調子でこの役を演じたことはなかった。彼女の魂のすべてが、唇をとおして、あふれ出しているかのようだった。……けれども、いうならば、その声はときおり絹を裂くばかりになり、また消えそうになるほどだった。その声は、もはやそれを人に聞かせようとするものではなかった！

そのとき、ゴルッ男爵の桟敷席の柵がさげられた。半白のながい髪をした異様な頭が、両眼をかっと光らせてあらわれた。その憑かれたような顔つきは、おそるべく青ざめ、そして、舞台裏にあってフランツは、あふれる光のなかに、いまだかつて見たことのないようなその姿を認めた。ラ・スティラは、そのとき、フィナーレの歌の、フーガの高まるストレッタの個所にはいりこんで行こうとしていた。……彼女は、至高の感情に支えられた次のような句をくりかえしたところだった。

恋する女、ふるえるわたしの心
わたしは死にたい

とつぜん歌がとぎれた……。

ゴルッ男爵の顔は、彼女を脅かした。……説明しがたい恐怖が、彼女を麻痺させた。……彼女は急いで口に手をやると、そこに赤い血があふれ……、彼女はよろめき……倒れた……。

観客は胸をしめつけられ、手に汗をにぎり、呆然として立ちあがった……。

ひとつの叫び声が、ゴルッ男爵の桟敷からあがった……。

フランツは舞台の上にかけつけた。彼は腕に、ラ・スティラを抱きかかえ、引き起して……彼は彼女を見つめた……名を叫んだ……。

「死んでいる！……死んでいる！」と彼は叫んだ。

「死んでいる！……」

ラ・スティラは死んだ……一筋の血管が、胸のなかで裂けていた！……彼女の歌は、その最後の吐息とともに消えていた……。

若い伯爵は、ホテルにつれもどされたが、人びとは彼が正気をとり戻すことができるかどうかを危ぶみさえした。彼は、ナポリの市民たちが多数列席するなかでおごそかに行なわれた、ラ・スティラの葬儀に参列することもできなかった。

歌姫が埋葬された「新カンポ・サント」墓地には、白い大理石の上に、

ラ・スティラ

という名がのこるのみだった。

埋葬の夕方、ひとりの男が、「新カンポ・サント」の墓地にやってきた。鷹のようならんらんとした目、伏せられた顔、まるで死によってすでに封印されたもののように口はつぐまれ、ながいあいだラ・スティラの葬られた場所を見つめていた。彼は、あたかもあの偉大な歌姫の声が、墓の下からもう一度洩れてきでもするかのように、耳を傾けているのだった。……

それは、ロドルフ・ド・ゴルッだった。

夜になって、オルファニクをともなったゴルッ男爵はナポリをはなれた。彼が出発してしまうと、だれひとりとして彼がどうなったかを知るものはなかった。

しかし、翌日、一通の手紙が、若い伯爵宛に届けられた。

その手紙には数語で、次のように脅迫する、きわめて簡単なことばしか書いてなかった。

「彼女を殺したのはきみだ！……テレク伯爵よ、きみにわざわいあれ！

ロドルフ・ド・ゴルッ」

吸血鳥

マルセル・シュオッブ

種村季弘訳

コレヨリ余ハ恐ロシキ事ヲバ物語ラム
……身の毛モヨダツ物語ヲ。
——T・A・アルビトリ「諷刺詩」

われわれは贅美を凝らした食卓を囲んで寝台《ねだい》に身を横たえていた。銀の洋燈《ラムプ》が低い焔を上げて燃えていた。扉はいまし方、芸を仕込んだ豚の余興で座を白けさせた曲芸師の背後で閉じられたばかりであった。曲芸師が火焔の環にぶうぶう鳴きわめく豚をくぐり抜けさせたので、獣皮の焼けるにおいが広間のなかいっぱいに立ち籠めていた。デザートが出た。熱い蜂蜜入りの菓子、漬雲丹《うに》、パフ・ペーストをこってり被せた卵、鶫《つぐみ》のソース和え、極上の小麦粉の肉詰め、乾葡萄、胡桃《くるみ》である。シリア生れの奴隷が耳ざわりな調子で歌を唱い、その合間に料理の皿が回された。われわれを宴《うたげ》に招いた主人《あるじ》は、寵童の傍《かたえ》に横たわってその長い髪を指先でまさぐりながら、金箔の長楊子で優雅に歯の間をせせっていた。主人《あるじ》は焼き葡萄酒の杯を生《き》のままで貪るようにぐいぐい呷《あお》ったために、したたかに酔いが回っていた。彼はいくぶん呂律《ろれつ》の回らない調子で話しはじめた。

「宴の終りほど悲しみを誘うものはありません。友よ、心ならずも諸兄とお別れしなくてはならないのです。やんぬるかな、それは、永遠《とわ》の別れを告げなければならぬ末期《いまわ》の刻のことを想い起させます。おお、おお、人間とはなんとはかない存在であろう！　塵のような人間《もの》、せいぜいそんなところではありますまいか。馬車馬のように働き、汗を流し、息を切らせる。ガリアに、ゲルマニアに、シリアに、パレスチナに従軍し、一枚また一枚と金貨を集め、良き主人に仕え、料理場から宴の給仕となり、給仕から寵童となって、私がいま指をまさぐらせているこの髪のような長い髪を生やし、奴隷の身から自由になり、今度はそちらが館《やかた》を構えて私のお招きしたような客を迎える番になる。土地や商業交易に投機をし、動き回り、奮闘する。そうなさるがよいのだ。解放奴隷の被る頭巾が諸兄の頭にふれたその瞬間から、どれほど巨額の銀貨《セステルス》を積んでもそこからは逃れようのない、はるかに強大な運命という女主人にかしずいているのだと感じられることになろう。生きられるがよい、せめて肉体が健《すこ》やかな間は。愛童よ、ファレルヌスの酒を注いでくれ」

主人《あるじ》は関節をつないだ銀の骸骨を持ってこさせ、それを食卓の上でさまざまの姿態にポーズさせてみせてから、目をつむって話をつづけた。

「死は恐ろしい事柄《もの》で、私はとりわけ食事をしているときに死の想念につきまとわれる。侍医でさえ私のこの想いばかりは宥《なだ》めようがありはしない。どうやら私の胃の腑は消化がよくないらしい。腹が牡牛のようにごろごろと吼えたける日が何日もある。この手の障害を甘く見ていてはいけない。もしも具合がよろしくないようでしたら、友よ、どうぞご遠慮なくいたして下さい。腹中ガスは脳にきたりすることもありますからな。そうなっては万事休す。クラウディウス帝もよくこんな風に人前でなされたようですが、笑いごとではありませんぞ。生命の危険よりは無作法になった方がましですからな」

彼はまたもやしばらくの間物思いに耽ってから、言った。

「いかにしてもこの考えを追い出すことができないのです。死の思いに憑かれると、自分が死にゆくさまを看取った人びとの姿が一人残らず眼の前に浮んでくる。たとえいまは肉体に自信満々であっても、それが過ぎれば一切は終りなのだ！　してみれば私たちは哀れな存在《もの》、悲惨な存在《もの》にすぎぬ。ところが、守護神に誓って申し上げるが、どうやら不可思議な隠れた精霊どもがいて、それが私たちの動勢をじっと窺っているのです。街中で出遭《でくわ》すこともある。それは老婆の姿をしていて、夜になると鳥のような風態に変ってしまうのです。まだ例の貧民窟に住んでいた頃のことでしたが、ある日、驚天動地の思いをした経験があります。家の壁の狭間のところで老婆が一人、葦を燃して火を熾すと、銅の鍋のなかに韮《にら》やオランダ芹《せり》を酒に混ぜて流し込んでいました。それに胡桃やら榛《はしばみ》の実やらも投げ込んで、加減を見ている。怖ろしいのなんの！　その射るような眼光の物凄さといったら！　それが終ると、老婆は袋のなかから空豆を取出して、麻の実を啄《ついば》む四十雀《しじゅうから》さながら、それはすさまじい勢いでぼりぼりかじるのでした。そして豆の殻をまるで蝿の死骸のようにあたりに弾きとばしている。

思うに、あれこそは〈吸血鬼〉だったのではありますまいか。かりに私のいるのに気がついていたら、老婆はその邪悪な眼で私を金縛りにしてしまっていたにちがいない。世間にはよく、夜出歩いているうちに、なにやらぞっと身内を走るような息吹きに襲われて、やおら剣を抜いてふり回し、得体の知れない影に向って斬りかかる人がいるものだ。朝になると、それが無数の切傷にいちめん覆われて、口の端からだらりと舌を垂らしている。吸血鬼に出遭《でくわ》したのです。私は、牡牛やあまつさえ人狼のように強い人たちが、吸血鬼に散々な目に遭ったのを見たことがある。

請け合って申し上げるが、これは作り話などではない。しかもこうしたことは世間周知の事実なのです。そうはいっても、私自身が身の毛のよだつような出来事に遭ったのでなければ、こんなことはお話しもしないであろうし、また頭から信じはしなかったにちがいない。

死人のお通夜をしているときに、吸血鬼の声が聞こえてくることがあります。その歌声がすると、人は思わず魂を奪われるような気持になって、いやでも耳を傾けざるをえなくなってしまう。吸血鬼の声は、哀願するような、嘆き悲しむようで、小鳥の鳴き声のようにやさしく、母親を呼ぶ嬰児《あかご》の泣く声のように幼げなのです。誰もそれには抵抗することができない。ヴィア・サクラ（古代ローマの凱旋道路）の銀行家であった私の主人《あるじ》の下で働いたときのことですが、主人が夫人に先立たれるという御不幸に見舞われた。ちょうどこの瞬間《とき》私は悲嘆にかき暮れていた。というのも自分も妻を亡くしたばかりのときで――いや、本当に、妻《あれ》は美しい女でした。肉体《からだ》も上物でしたし――しかし何といっても私は妻《あれ》の気立ての良いところが好きだったのです。彼女は、稼ぎはみんな私のために貢ぎつくし、一銭でも持っていれば、半分は私にくれるという女でした。そのとき私は〈別荘〉へ帰る途中でしたが、ふと、何やら白いものが墓場のなかにうごめいているのが眼にとまったのです。それもとりわけ、いまし方妻の亡骸《なきがら》を街に置いてきたばかりのところだったので、恐怖のあまりいまにも死なんばかりの思い。私は荘園の館《やかた》にあたふたと駆け込んだが、閾を跨ぐや何を見たとお思いか？　そう、ぐっしょりと濡れそぼった海綿《スポンジ》の上に点々と血だまりのできている塊。

館のなかから圧《お》し殺した呻きや涙声が聞こえてくる。宵の口にこの家の女主人が死んだためだった。召使たちは自分の着ているものを引きむしったり、髪をかきむしったりしていた。部屋のいちばん奥には、一本だけ立てた洋燈《ラムプ》が、赤い斑点のようにポツリと見えた。主人が出て行かれてから、私は窓の傍で大きな樅《もみ》のおが屑に火を点けた。焔はパチパチ爆《は》ぜていぶり、それにつれて風が部屋のなかに灰色の渦を立てるのだった。焔は風の吹くのにつれて燃え上ったり靡《なび》いたりし、樹脂の滴りが木屑の肌に滲んでパチパチと爆ぜた。

夫人の亡骸《なきがら》は寝台の上に横たえられていた。顔は色蒼ざめ、口元や両のこめかみのあたりには細かい皺が無数に刻まれていた。口がだらりと開いてしまわないように、頬のまわりに手帛《ハンケチ》をゆわきつけてあったのだ。何匹もの蛾が火の近くを黄色い羽根を動かしながら輪を描いていた。蠅の群がゆっくりと寝台の上の方を這い回り、風が煽られるたびに枯葉を舞い込ませて、それが渦を巻いた。私はといえば、亡骸の足元で通夜の番をしていたのだが、朝になると屍体のあるべきところに藁人形が見つかった話だの、魔女たちが血を吸いにきて顔のなかに丸い孔を明《あ》けた話だの、ありとあらゆる話が想い出されるのであった。

とこのときのことだった、風の喚声の間をぬって、甲高い、耳ざわりで、幼げな感じの響きが聞こえてきたのだった。小さな女の子が哀願するような調子で歌を唱っている、とでも申せようか。歌の旋律は空を漂い、死者の髪をほどき散らす風の立つたびにひときわ強く押し入ってくるのだった。それなのに私は全身が麻痺に冒されたようになっていて微動だにすることができない。

月が一段と蒼ざめた光を放って照り出した。家具も、調度の壺も、大地の翳と溶け合っている。おちこちを彷徨《さまよ》っていた私の眼はふと戸外の野面《のづら》に落ち、空も地上もなにやら甘やかな光に照らされているのに気がついた。遠くの繁みはほとんど姿を消し、白楊の木立ちは長い灰色の線のほかには何も見えない。風はやみ、木の葉はもうそよとも動かないように思える。庭の生垣の背後《うしろ》に影がいくつかすっと滑っていくのが見える。すると眼瞼《まぶた》が鉛のように重くなって、開いていられなくなる。私は耳元に大層軽い衣《きぬ》ずれの音がしたような気がした。

突然、鶏の鬨《とき》の声に、私はギクッとして跳ね起きた。朝風の凍てつくような戦《そよ》ぎが白楊の梢《こずえ》を逆立たせていた。私は壁際に凭れ掛っていた。窓越しに見える空はしだいに明けそめる灰色を帯び、東方には白と薔薇色の雲が棚引くように尾を引いていた。私は眼をこすった、――それからふと女主人の方に眼をとめると――これはまた何としたことか――彼女の身体は真黒な切傷やら、銅貨大の――いいえ、本当に青銅貨ほどの大きさの――青黒い斑点やらに皮膚全体にかけていちめんに点々と撒き散らしたように覆われているではありませんか。咄嗟に私は大声を挙げて寝台の方へ駆け寄った。顔は蠟引きの仮面と化し、その下におぞましく齧り散らした肉がのぞいているのだった、鼻も、唇も、頰も、眼も、二た目と見られなかった。あの夜鳥どもが、その鋭い嘴の尖で李《すもも》を啄《ついば》むようにぼろぼろに食いちぎってしまったのだ。青い斑点はどれも漏斗状の孔で、その底《ここ》には凝った血の塊がきらきら光っていた。心臓も、肺も、およそ内臓という内臓が影も形もなくなっていたが、それは、胸部も腹も、中味は藁の詰物にすり替えられていたためなのだった。

吸血鳥どもが、私のまどろんでいる間にすっかり浚《さら》っていってしまったのです。人間が魔女どもの力に敵《かな》うわけはない。げに私たちは運命の玩具なのだ」

主人《あるじ》なる人は、食卓の上、銀の骸骨と空《から》になった酒杯との間に頭《こうべ》をのせて、啜り泣きはじめた。

「ああ！　ああ！　この私が涙を流しているのだ、あり余る財宝を抱え、自分の領地を通ってバイアエ（ローマ人の海浜避暑地）まで行くこともできれば、所領のために新聞を出させることもでき、専属の役者や踊り手や物真似師の一団を抱え、銀器の皿や別荘やいくつもの鉱山も持っている、この私が。私とて憐れむべき一個の肉体にすぎないのだ――吸血鳥どもがまもなくこの身に孔を明けにやってくるであろう」

寵童が彼に銀の酒壺を差し出し、彼は身を起した。するとこのとき洋燈《ランプ》が一斉に消えた。宴の客たちは何やら聞きとれない呟きを口にしながら物憂げに身体を動かした。銀器がぶつかり合い、横倒しになった洋燈《ランプ》の油が食卓中に流れた。顔中に石膏を塗り、額に幾条《すじ》かの黒い線を描いた道化師が一人、爪先立ちながら広間に入ってきた。われわれは開いた扉の間から、まだ蹠《あしうら》に真白な白墨の痕がある、買い入れたばかりの奴隷が三列に並んでいる間を通って、逃れるように広間を去った。

サセックスの吸血鬼

コナン・ドイル
延原謙訳

ホームズは最終便で配達された手紙を注意ぶかく読んでいたが、にっとして――彼としてはこれで笑ったわけなのだが――その手紙を私のほうへよこした。

「現代と中世、現実とおそるべき夢幻との混合としては、たしかにその極に達していると思うよ。いったい何だと思うね?」

手紙はつぎのようなものだった。

十一月十九日オールド・ジュリイにて

吸血鬼に関する件

拝啓　弊商会の顧客ミンシン小路の茶仲買商ファグスン・エンド・ミュアヘッド商会のロバート・ファグスン殿より本日付をもって吸血鬼に関する件照会に接し候処、弊商会は機械類の評価を専門といたすものに有之、かかる件は営業科目外にて候につき、該件は貴殿を訪問のうえご相談あって然るべき旨ファグスン殿まで推薦申しあげおき候間ご承知相成りたく、弊商会は先年貴殿がマティルダ・ブリグズ事件を成功裡に解決せられたるご手腕を今なお記憶いたすも

のにて候

敬具

モリスン・エンド・モリスン商会

代表　E・J・C

「マティルダ・ブリグズといったって若い女の名じゃないぜ、ワトスン」ホームズはふるいことを追想しながらいった。「スマトラの大ねずみに関係のある船の名なんだ。この話はまだ世間に知れ渡っていないがね。それにしても吸血鬼《ヴァムバイヤ》についてわれわれは何を知っているだろう？　こいつは僕たちにも営業科目外じゃないかな？　また退屈しているよりはましだが、何だかグリムのおとぎばなしの世界へ引っぱりこまれたような気がするね。ちょっと手をのばしてくれないか。Vの部に何があるか調べてみよう」

私はうしろへからだを伸ばして、ホームズの求める厚い索引簿を棚から取りおろした。彼はそれをひざのうえで平衡を保ちながらひろげて、ゆっくりと、なつかしそうな眼つきで、終生かかって蓄積した見聞の知識のなかに混っている古い事件の記録をたどっていった。

「グロリア・スコット号の航海《ヴォエージ》か。いやな事件だったな。こいつはたしか君が書いたと思うが、でき栄えはあんまり香しくなかったようだぜ。ヴィクタ・リンチ、偽造者。有毒のトカゲ。手ごわい事件だったな、こいつは。それからサーカス美人のヴィトリアに、金庫破りヴァンダヴィルトか。まむし《ヴァイパズ》にハマスミスの怪物ヴィゴアか。おや！　おやおや！　やっぱりこの索引はいいね。おろそかにできないよ、いいかい？　ハンガリアにおける吸血鬼伝説とある。それからこっちにはトランシルヴァニアの吸血鬼とある」

　といって彼はページをめくり、しばらく熱心に黙読していたが、読みおわるとさも失望したらしく、なあんだと索引を投げだした。

「何だ、くだらない！　死体が歩き回るのは、心臓に杭を打ちこまなきゃ止まらないなんて、何の話だ？　気ちがいのさただよ」

「しかし吸血鬼といったって、なにも死体と決まったわけじゃあるまい？　生きながらそういう習性をもったものがいないとも限らない。たとえば僕は、老人が青春を持続するために、子供の血を吸うという話を何かで読んだことがあるよ」

「なるほどそういうこともあるな。この参考事項の一つにある伝説を説明するものだ。しかしそんな事を真面目にとりあげるべきだろうか？　この仕事は大地にしっかり足をおろしているのだ。今後もそうなければならない。世のなかは広いのだ。幽霊まで相手にしてはいられない。どうやらロバート・ファグスン氏の話を本気で取りあげる気はしないね。この手紙はおそらくファグスン氏から来たものだろうが、読んでみたら何に悩んでいるのか、少しは事情が分かるだろう」

　ホームズは第一の手紙に気をとられたあまりテーブルのうえに忘れられていた第二の手紙をとりあげて封を切った。そして初めのうちはさも面白そうに、にやにやしながら眼をとおしていたが、しだいにその顔から微笑をひっこめ、非常な興味をもって一心に読んでいった。

　読みおわると、しばらくはその手紙を手にしたまま、何ごとも忘れてじっと考えこんでいたが、ふとわれに返っていった。

「ランバリってどこだっけ？　ランバリのチーズマン屋敷というのだがね」

「それはサセックス州だよ。ホーシャムの南のほうだ」

「あまり遠くはないね？　そしてチーズマン屋敷というのは？」

「あのへんの田舎はよく知っているがね。何世紀もまえに建てた人の名がついて、ふるい家がいっぱい残っているところだ。オドリ屋敷だとかハーヴィ屋敷だとかカリトン屋敷だとかいって、建てた人たちはどうなったことか、名まえだけは家とともに残っているわけだ」

「その通りだ」ホームズは冷やかにいった。これは自尊心たかく負けずぎらいの彼の性格の奇癖であって、どんな新知識でもすばやく整然と頭のなかへ納めるくせに、それを教えてくれた相手に礼をいうということがないのである。「いずれはランバリのチーズマン屋敷について、詳しい知識を得ることになるだろうがね。手紙はやっぱりロバート・ファグスンからだったよ。ところで、この男は君を知っているといってるぜ」

「この僕を？」

「読んでみたまえ」

といってホームズは手紙を私によこした。差出地はまえに述べた通りである。

シャーロック・ホームズさま
弁護士の推薦によって貴下のご意見を求めたいのですが、問題はあまりにも微妙なため、どこから申しあげてよいか、ほとほと当惑するほどです。

問題は私の友人の身の上に関することですが、友人は五年ばかりまえにペルー国の一婦人と結婚いたしました。相手は友人が硝石の輸入に関連して知りあったペルー商人の息女なのです。たいそう美しい人ではありましたけれど、もともと外国の生れのうえ宗教を異にしていますので、ことごとに趣味と感情に疎隔をきたし、結婚後いくばくもなくして友人は妻への愛情のさめるのを覚え、自己の結婚の失敗であったのを感ずるようにもなりました。友人は妻の性格のうちにまったく理解しがたい一面のあるのを感じました。この事実は、妻として彼女が男冥利につきるばかりの愛情を――どうみても絶対に心からの愛を捧げているとしか見えないだけに、いっそう痛ましくも悲惨でした。

これらの点はお目にかかって詳しく申し述べたいと思いますが、ここには事情の概略を開陳いたし、はたして貴下がこの問題を取りあげて下さるか、ご意向をうかがうため本書状さしあぐる次第です。

さて夫人は最近にいたって、日ごろの愛らしく温雅な性向にも似ず、妙な素振りを示すようになりました。友人にとって彼女は二度目の妻で、先妻とのあいだに一子があります。これは今年十五の魅力ある愛らしい少年ですが、不幸にも幼時の不慮の災禍のため不具の身です。ところが夫人はこの少年にいわれなく打擲を加えている現場を二度も見られました。一度などはステッキで殴打したので、腕に大きな赤痣をのこしたほどです。

しかしこれは生後一年にもならぬ自分のかわいらしい赤ん坊にたいする仕打ちに比すれば、何でもありません。いまから一ヶ月ばかりまえのあるとき、乳母がほんのしばらくこの赤ん坊のそばを離れていますと、どこか痛くでもあるか、ふいにけたたましい泣き声が聞こえますから、急いで行ってみますと、夫人が赤ん坊のうえにのしかかるようにして、首のあたりにかみついているらしい様子です。

よく見ますと首に小さな傷ができて、血が流れています。乳母は驚いて主人を呼ぼうとしましたが、夫人は泣かんばかりに頼んでそれを押しとめ、あまつさえ口どめ料として五ポンドを与えました。しかし事情については何の説明もせずに、とにかくその場はそれなりになりました。

しかしながら、このことは乳母に恐ろしい印象をのこし、そのときから夫人には少しも油断をせず、かわいらしい赤ん坊の守護に気をくばりました。でも彼女が夫人を監視しているのと同じように、夫人のほうでも彼女を監視しているらしく、一刻でも赤ん坊のそばを離れなければならなくなるのを、夫人は待っているようにさえ思われました。

夜となく昼となく、乳母は赤ん坊を守りつづけましたが、夫人のほうもまた、小羊をねらうオオカミのように、日夜隙をうかがっているように見えました。こんな話は信じられないとおっしゃるか知れませんが、赤ん坊の生命と良人の精神の脅かされていることは事実なのですから、どうか真剣にお考え下さい。

さて、この事実をもはや良人に隠してはおけない怖るべき日が来てしまいました。乳母がついに気が挫けてしまったのです。彼女はもうこの緊張に耐えられなくなって、一切の事情を主人に打ちあけてしまいました。

主人にとっては、いまおそらく貴下がお考えになっているだろうように、荒唐無稽な話に聞しい妻であり、ときどき継子《ままこ》いじめはするけれど、ふだんはやさしい母親なのをよく知っています。こともあろうにそれがわが子を傷つけたりするでしょうか？

そこで彼は乳母に向かって、お前は夢でも見ているのだろう。そんな疑いをおこすほうが気ちがいじみている。以後奥さまのことをそんな風に悪口したりすると、許してはおかぬぞとばかりたしなめました。

二人が話しているところへ、赤ん坊のけたたましい泣き声が聞こえますので、乳母も主人も驚いて駆けつけましたが、どうでしょう、ホームズさん、主人が見ると妻は揺りかごのそばにひざまずいていたのが立ちあがり、赤ん坊の首から血が流れてシーツをまっ赤に染めているではありませんか！

主人はわっとわめきながら、妻の顔を明るいほうへ向けさせてみますと、口のまわりに血がついています。もはや何の疑うところもなく、この母親はわが赤ん坊の血を吸ったのです。

大約右のような事情ですが、彼女はいま自室に閉じこめてあります。いまもって一言の弁明もいたしません。主人は半狂乱の状態です。彼にしても私にしても、吸血鬼伝説についてはほとんど何も知るところがありません。どこか遠い国のとりとめもない夢のような話とばかり思っていましたのに、ここイギリスもサセックス州の中心に――詳しくは明朝にてもお目もじのうえ申しあげたいと存じますが、ご面会下さいますでしょうか？　この気も狂わんばかりの男子のため、何分の力をお貸し下さらないでしょうか？　幸いご承引いただけますならば、どうからランバリなるチーズマン屋敷にてファグスンまで電報賜わりたく、さすれば明朝十時には当方よりお訪ね申しあげます。

敬具

ロバート・ファグスン

二伸　ご友人ワトスン氏がブラックヒースのラグビー選手をしておられた当時、私はリッチモンド・チームのスリークォーターを致しておりました。しいて申せばこのことが貴下にたいする私の唯一の個人的紹介です。

「むろん覚えているよ」私は手紙を下においていった。「大男のボブ・ファグスンは、リッチモンド・チームの有した最良の名スリークォーターだった。おとなしい男だったが、友人のことでこんなに心配しているのなんかは、いかにもあの男らしい」

ホームズは考えぶかく私を見つめていたが、

「人って分からないものだねえ」感心したように、「君にしてもまだまだ僕の知らない一面を持っているらしい。じゃ、すまないが電報を一通書いてくれないか。――〝貴下ノ事件調査ヲ引キウケル〟でいいだろう」

「貴下のとするのかい?」

「この事務所に頭の鈍い連中がそろっているように思わせちゃならないからね。むろん自分の事件だよ。その電報を打ったら、問題はあすの朝までお預けとしよう」

翌朝の十時きっかりに、ファグスンがのっそりとはいってきた。私の記憶にのこるファグスンはのっぽで、身幅がうすく、からだが柔軟でスピードがあって、そのため相手がたのバックをいく度か悩ましたものだった。かつてはすばらしい運動家だった者のおとろえた姿を見るほど、その人の全盛時代を知るものにとって、痛ましいものはなかろう。彼の偉大なる体格はいまや見るかげもなく、亜麻いろの美しかった頭髪はうすく、背なかも曲りこんでいるのである。私の姿を見、彼も同種の感慨にうたれたのではないかと思う。

「よう、ワトスン君」とそれでも声ばかりは今なお深く、元気だった。「君も変りましたねえ。オールド・ティア・パークで君をロープ越しに観衆のなかへたたきこんだことがあるが、あのころの面影はまるでありませんぜ。だから僕も変ったことでしょう。ことにこの二三日、すっかり老いこみました。ホームズさん、電報を拝見して、友人の身のうえのようなふりなんかしてもむだなのを知りましたよ」

「話は直接のほうが簡単なものです」

「それはむろん仰せのとおりです。でも保護し援助してやらねばならないはずの女のことを話すとなると、どんなに辛いものだか、どうかお察し下さい。私はどうしたらよいのでしょう？　こんな話を警察へ持ちこむわけにもゆかず、さればといって子供たちのことも放ってはおかれません。気が狂ったのでしょうか？　血のなかに何かあるというのでしょうか？　似たような事件を経験なすったことがおありですか？　私はほとほと途方にくれてしまいました。何とかお知恵をお貸し下さい。お願いです」

「きわめてごもっともです。まあこちらへお掛けになって、気をとりなおして、私のお尋ねすることに明確にお答え下さい。私はけっして途方にくれてなぞいませんし、かならず解決できるものと確信していますから、ご安心下さい。まずお尋ねしますが、その後どんな処置をおとりでしたか？　奥さんはやはり子供さんがたに接しているのですか？」

「思いだしてもぞっとします。妻はじつに愛すべき女です。ほんとうに魂をうちこんで私を愛しています。あの怖るべく信じがたい秘密を発見されて、悲嘆にくれました。一言もそれについては弁明しようとしません。私の叱りにあっても、狂気じみた絶望的な眼で私を見つめるばかりで、一語も答えません。そして自分の部屋へ駆けこんだきり、なかから鍵をかけて、私がいっても受けつけません。妻には結婚まえから使っているドロレスという女中がいますが、これに食事を運ばせている始末です」

「ではお子さんに今のところ危険はないわけですね？」

「乳母のメースン夫人が、昼夜目をはなさずにいると申してくれますので、その点は絶対に安心していられます。それよりもジャックのほうが、手紙でも申しあげましたように二度も打ったほどですから、心配になります」

「でも怪我をするほどではなかったのですね？」

「はあ、乱暴に打っただけですが、罪もない不具の子ですから、余計かわいそうでしてね」とこの子のことを話すときは、ファグスンも相好をゆるめて、「あの子の不具さをみれば、誰だって気が折れるはずだという点をお考え下さい。幼いとき高いところから落ちて背骨が曲っているのですが、気のやさしいかわいらしい子なのです」

　ホームズはきのうの手紙をとりあげて、読みかえしてみながら、

「そのほかお宅にはどんな人がおいでですか」

「女中が二人いますが、どちらも近ごろ雇いいれたものです。それからマイケルという厩の世話をする男、これは夜は母屋で寝みます。それから妻と私と子供のジャックと赤ん坊とドロレスと乳母のメースン夫人、これで全部です」

「結婚なすったときには、まだ奥さんの人がらをよくご存じなかったらしいですね?」

「ええ、二三週間の交際で結婚しましたから」

「ドロレスという女中が奥さんについてからどのくらいになりますか?」

「数年になりましょう」

「では奥さんの性格はドロレスのほうが、あなたよりもよく知っているわけでしょうね?」

「まあそうもいえましょう」

　ホームズは手帳にノートして、

「ここでお話をうかがっているよりも、一度ランバリに出向いたほうがお役にたちそうです。明らかに個人の研究問題ですからね。奥さんがお部屋へ閉じこもっていらっしゃるとすれば、私がうかがっても奥さんのご迷惑にはならないと思います。むろん夜は宿屋へ引きとりますしね」

　ファグスンはほっとしたらしく、

「そうお願いできれば、これに越したことはありません。おいで下さるのでしたら、ヴィクトリ

ア駅二時発というごく都合のよろしい列車があります」

「むろん参りますよ。このところちょっと暇ですから、あなたの問題に専念することができます。ワトスン君もむろん同道してくれます。それにしても出発まえにあらかじめ確かめておきたいことが二三ありますが、奥さんはおかわいそうに、ご自分の赤ちゃんも大きいほうのお子さんも、どちらにたいしても乱暴なことをなさるのでしたね?」

「そうです」

「ひと口に乱暴といっても、やりかたは違うわけですね? 大きい坊っちゃんのほうは打ったのでしたね?」

「一度はステッキで、一度は手でひどく打ったのです」

「なぜ打ったか説明はなさらないのですね?」

「はあ、ただジャックが憎らしいというだけでした。そのことは何度も申しました」

「それは継母にはありがちのことで、先天的嫉妬とでもいうものでしょう。奥さんは妬み深いかたですか?」

「それは妬み深いですね。南国の強い愛情いっぱいの力で嫉妬するのです」

「しかし大きい坊っちゃんのほうは——十五ということですが、からだが不自由なだけに、おそらく知力のほうは発達していることと思いますが、この乱暴について何も説明はなさらないのですか?」

「ええ。ただ理由はないというばかりです」

「ふだんはお母さんとも仲がいいのですか？」

「いいえ、どちらにも愛情なんかありません」

「でも坊っちゃんは愛らしいかただというお話だったじゃありませんか？」

「あんなにかわいい息子はありません。私は命にもかえがたく愛しています。あの子も私のいったりしたりすることには夢中です」

ここでホームズは何やらノートして、しばらくは何もかも忘れて考えこんでいたが、

「申すまでもなくあなたが再婚なさるまでは、坊っちゃんと二人だけだったわけで、ずいぶん仲よくやっていらしたのでしょうね？」

「そりゃあね」

「そして坊っちゃんはそんなに愛情が深いとすれば、むろん亡くなったお母さんの思い出が心を去らないことでしょうね？」

「いつもそれを考えていますね」

「たしかに興味のあるお子さんらしいですね。もう一つこの乱暴のことでお尋ねしますが、赤ちゃんをどうかしたのと、坊っちゃんを手にかけたのは、同じころのことですか？」

「はじめの場合は同じころでした。まるで逆上でもしたように、ちょっとしたことで二人に当りちらしたのですね。二度目のときは、虐められたのはジャックだけです。メースン夫人も赤ん坊のことは何もこぼしはしませんでした」

「そうなると問題が複雑化しますね」

「お言葉の意味がよく分かりませんが……」

「そうでしょうね。誰でもこんなときは暫定的に見当をつけておいて、時がたつにつれてその黒白が分かるなり、あるいはもっと資料を得て自説に訂正を加えるなりするのです。悪いくせですよ。でも人間は弱いものですからね。あなたは旧友ワトスン君から、私の科学的方法について誇張した見解を聞かされているのじゃありませんかねえ。しかし私としては現在の段階では、あなたの問題は解決不可能だとは思っていないということだけしか申しあげられませんね。それでは二時にヴィクトリア駅でお目にかかりましょう」

ランバリのチェッカーズという名の宿屋へいったん荷物をおいてから、長い曲りくねったサセックス粘土の細道に馬車をとばして、ファグスンの住む旧い農家の一軒屋にたどりついたのは、霧深い十一月の鬱陶しい夕暮だった。大きくて不統一な建物で、中央の部分はきわめて古いけれど、両翼は新しく建て増してあり、チュードル式の煙突が高く聳え、傾斜の急なホーシャム石板の屋根にはところどころ苔がむしていた。

玄関の石段は擦りへって中央がくぼみ、ポーチをかこむ古いタイルには、この家を建てた人のものであろう男女の判じ絵による紋章が入れてあった。はいってみると、天井には太い樫《かし》の梁が何本も走り、平らでない床はあちこち落ちこんでいた。要するに古い腐朽のにおいに充ちた屋敷である。中央に思いきって大きな部屋があって、ファグスンはそこへ私たちをつれこんだ。ここには大きい古風な壁炉があり、鉄の仕切りの裏がわに一六七〇年と彫りこんであったが、丸太が勢いよく燃えさかっていた。

見わたせば、ここはいろんな時代とさまざまな地方色の雑然と入りまじった部屋である。まず半幅の腰羽目を張ってあるのは、たぶん十七世紀の郷士《ごうし》の名残りであろうし、そのうえのほうには精選された近代水彩画がずらりと掲げてあるし、またその上方の樫材の部分を黄いろい漆喰で塗りつぶしたところに、南米の器具や武器の収集を美しくかけ連ねてあるのは、いわずと知れた二階にいるペルー生れの夫人のものであろう。

ホームズは席をたって、彼一流の鋭い知性から、急に好奇心がおこったのか、やや注意深くそれらを検《あら》ためた。それから何か深く考えながら席にもどってきたが、

「おう、おいで、おいで」と声をかけた。

すみの籠のなかにスパニエル種の犬が一頭うずくまっていたが、呼ばれて歩きにくそうによちよちと主人のほうへきた。しっぽを垂れ、後足の運びかたが不規則である。ファグスンのところへ来てその手を舐めた。

「ホームズさん、どうしました」

「この犬ですがね、どうかしたのですか?」

「獣医にも分からないらしいのですが、一種の麻痺なんですね。脳脊髄膜炎だろうといっています。でも経過はいいのです。すぐよくなるでしょう。――そうだね、カルロ?」

だらりと不景気に垂れたしっぽをわずかに振って、犬は同意を示した。そして悲しげな眼つきで私たちを見まわした。自分の病気が話題になっていることが分かるのだろう。

「突然こんな病気になったのですか?」

「たった一晩でした」

「いつごろのことです?」

「四ヶ月くらいになりましょう」

「それは面白い。たいへん暗示的ですね」

「何を意味するとお考えになりますか?」

「私の考えていたことの正しいのを立証するものだと考えます」

「どんなことを考えていらしたのですか? どうか包まず教えて下さい。あなたには知的な判じものにすぎないかも知れませんが、私にとっては生死の問題なのです。妻は殺人犯人になるかも知れず、子供はたえず危険にさらされているのです。焦らさないで下さい。私は真剣なのです。必死なのです」

大柄の元ラグビー選手はわなわなと全身をふるわせた。ホームズは宥めるようにその腕に手をおいて、「解決がどういうことになるにしても、あなたは心を痛めることになりそうですねえ、そうならないように、できるだけ努力しますと、いまはそれだけしか申しあげられませんけど、この屋敷を去るまでには、何とかはっきりしたことをお知らせできるつもりでいます」

「ぜひそうあるようにと、神さまに祈っています。それではちょっと失礼して、二階の妻が変りはないか、見舞ってやりましょう」

ファグスンが中座すると、ホームズはまたしても壁に飾ってある珍らしい収集品を見てまわった。まもなくファグスンが帰ってきたが、うなだれたその顔つきから、事態がいいほうへ向かっていないのが見てとれた。彼について、ほっそりと背が高くて、色のくろい女がはいってきた。

「お茶の用意もできているからね。ドロレス。何ごとによらず、奥さんの望みに逆らわないようにしておくれよ」ファグスンがいった。

「奥さんたいへんお悪い」女は怒ったように主人を睨みつけていった。「何も食べたくありません。たいへんお悪いです、お医者さんいります。お医者さんもなしで、一人でついているのは、わたしこわい」

ファグスンは訴えるような眼つきで私を見た。

「僕でよければ診察しましょう」

「奥さんはワトスン先生に診ていただくだろうね」

「ご案内いたします。うかがってみることなんかありません。ぜひお医者さんに診ていただかなければ」

「では早く行きましょう」

思いあまる感動に震えている女中のあとについて二階へゆき、古風な廊下を歩いてゆくと、行きどまりに金具を打った厳重なドアがあった。それを見て私は、これじゃファグスンがいかに押し入ろうとしても、ちょっとむずかしいはずだと思った。

女中がポケットから鍵をだして、樫の頑丈なドアをぎぎいときしらせて開けたので、私はなかへはいっていったが、女中はすばやく続いてはいり、ドアをぴたりと閉めきって、締まりまでしてしまった。

みるど寝台のうえには一人の女が、明らかに高熱と思われる状態で横になっていた。うつらうつらしていたらしいが、私がはいっていったので怯えたような美しい眼をあげて、不安そうに私を見つめた。そして見たことのない男だと知って、かえって安心したらしく、ほっと溜息をもらして枕に頭をつけた。

私は相手を安心させるように柔かく言葉をかけながら、そばへ歩みよって、静かに脈をとり熱の具合をみたが、それでも彼女はおとなしくしていた。脈は速く熱も高かったが、私のうけた印象では、肉体的にどこが悪いというよりは、一種の精神的な興奮状態にあるのらしかった。

「毎日こんな有様なんです。これじゃおからだが保ちませんね」女中が訴えた。

「主人はどこにいまして?」患者は熱っぽく美しい顔を私の方へ向けた。

「階下《した》です。呼んで参りましょうか?」

「いいえ、たくさん。会いたくありませんわ」といったきり彼女はまた熱に浮かされた状態になったらしく、「悪魔! 鬼! この鬼をどうしたらいいのかしら?」

「私にできることでしたら、どうか使って下さい」

「いいえ、どなたの手にもあいません。もうすんだことです。何もかもおしまいです。私があんなに苦労したのに、何もかもめちゃめちゃになってしまいました」

この女はなにか妙な妄想にとらわれているのだ。あの善良なボブ・ファグスンが、悪魔とか鬼の性質をもっているとは思えない。

「奥さん、ご主人は心から奥さんを愛しているのですよ。だからこんどの問題には深く胸をいためているのです」

彼女はまたしても美しい眼で私を見ながら、

「それは分かっていますわ。でもそんなことをおっしゃいますのは、私が主人を愛していないとでも思っていらっしゃいますの？　自分を犠牲にしてまで、主人の心を傷つけたくないと願っています私は、あの人を愛していないのでしょうか？　私はそれほどあの人を愛していますのに、それだのにあの人は、私のことをそんな風に考え、そんな風に申していますのね？」

「ご主人はよく合点のゆかないなかに、すっかり悲嘆にくれているのです」

「それは合点がゆかないでしょうけれど、信じてくれさえすればよいのです」

「会ってよくお話しになったら？」私はすすめてみた。

「いいえ、会いたくございません。あの恐ろしい言葉や顔つきを忘れやしませんわ。もうお引きとり下さいまし。これと申してあなたにお願いいたすこともございません。ただ一つ、赤ちゃんをこちらへよこすようにおっしゃって下さいまし。私の子ですもの、権利がございますわ。これだけどうぞお伝え下さいまし」といって彼女は壁のほうへ顔をむけたまま、二度と口をきこうとしなかった。

そこで私は階下の部屋へ引きあげてきたが、みるとファグスンとホームズはまだ火のそばに坐っていた。夫人との会見の模様を話して聞かせると、ファグスンは浮かぬ顔で聞いていたが、

「赤ん坊をよこせったって、どうしてやれるもんですか！　どんなことであの不思議な発作を起

こすか知れたものじゃありません。揺りかごのそばから、口をまっ赤にして立ちあがったあの姿が、どうして忘れられましょう!」当時を思いだして今さらに身震いしながら、「赤ん坊はメースン夫人に預けてさえおけば安全です。安心していられます」

そこへ気のきいた女中が、この家で見た唯一の当世風の存在だが、お茶をはこんできた。女中がお茶をくばっているところへ、ドアがあいて、一人の少年がはいってきた。顔いろ青じろく髪の毛のいろもうすく、激しやすい青い眼をもったすばらしい少年だが、そこに思いがけなく父の姿を発見して、歓喜に眼を輝かし、駆けよってまるで少女のように両手で父の首にしがみついた。

「お父さん、お帰んなさい。僕ね、まだまだお帰りじゃないと思ってたんだよ。こんなことならここで待っていればよかった。お父さんが帰って、僕とてもうれしいよ」

ファグスンはちょっと困った顔をしたが、やさしく息子の手を解きはずして、亜麻いろの頭にそっと手をおきながら、

「坊や、お父さんはね、このホームズさんとワトスン先生を説きふせて、来て頂くことになったから、それで早く帰れたんだよ。お二人とも晩までいて下さる」

「ホームズさんて探偵のホームズさんなの?」

「そうだよ」

少年は鋭い眼で私たちを見た。私には敵意をふくんでいるように思えた。

「もう一人のお子さんはどうしました? 赤ちゃんともお近づきになっておきたいものですね」

ホームズがいった。

「メースン夫人に赤ん坊をつれてくるように言っておいで」ファグスンが命じると、少年はよちよちと引きずるような足どりで出ていった。医者の眼には明らかに背骨のわるいことの分かる歩きかたである。まもなく少年は、赤ん坊を抱いた背の高い痩せた女をつれてきた。赤ん坊は黒眼金髪で、サクソンとラティンの美しい混血ぶりをみせていた。ファグスンはもとより眼のなかへ入れても痛くないほど鍾愛しているらしく、すぐ自分の胸へ抱きとって、穏やかにあやした。

「こんなかわいいものを傷つけるなんてねえ」と赤ん坊ののどにある小さく赤い炎症をのぞきこみながら小さい声でいった。

　そのときであるが、何気なくホームズのほうを見ると、どうしたことか彼はひどく緊張した表情をうかべていた。古い象牙の彫刻をでもみるような顔をかたくして、その眼は、ファグスン親子のほうをちらりと見やってから、深い好奇の色をうかべて、反対がわの何ものかをじっと凝視しているのである。その視線をたどってみると、雨に濡れて陰気な庭を窓ごしにながめているとしか思えない。窓には鎧扉が片がわだけ閉まっていて、視界が十分でないけれど、彼が注意を集中して見つめているのは、たしかにその窓にちがいなかった。やがて彼はにっこりして、赤ん坊のほうへ視線をうつした。そして丸々と肥ったのどにある小さなぶつりとしたものを、黙って注意深く検《あら》ためていたが、握りこぶしを眼のまえで振ってみせながら、

「はいちゃい。あんたの人生行路もずいぶん妙なスタートを切ったものだな。ときにおばさん、あんただけにちょっと内密で話したいことがあるのですがね」

といって彼は乳母を小脇につれてゆき、しばらく真剣になにか話していた。私には最後にいっ

た〝あんたの心配も、ほんのしばらくだね〟という一語が聞きとれただけである。乳母という女は気むずかしく口数のすくない女らしかったが、それで赤ん坊を抱いてさがっていった。

「メースン夫人てどんな性質の女ですか?」ホームズがたずねた。

「ごらんの通り、いたって愛想のない女ですけれど、あれで気立はごくいいのです。それに赤ん坊をよくかわいがってくれます」

「ジャック君はどう? おばさん好きかい?」

ホームズはふいに少年のほうへ向きなおって尋ねた。少年は感じやすく表情に富む顔をさっと曇らせ、かぶりを振った。

「ジャックはとても好悪のはげしい子でしてねえ」とファグスンは片手でわが子を抱くようにしながら、「幸いにして私はこれのお気にいりの一人です」

少年は甘ったれて父の胸に頭を押しつけた。ファグスンはやさしくそれを離しながら、

「さ、あっちへ行っといで」といって、少年の姿が見えなくなるまで、かわいくてたまらないという眼つきで見送った。やがてそのうしろ姿がまったく見えなくなると、

「ねえホームズさん、どうもこれはあなたに無駄足を踏ませたような気がしてなりませんよ。あなたに同情して頂いただけのことで、これといってやって頂くこともないようじゃありませんか? しかしこれはあなたなんかの眼にも、よくよく微妙な、錯雑した事件でしょうねえ」

「微妙なことは事実ですね」ホームズはさも面白そうに微笑して、「しかし今のところ錯雑性はないと思いますよ。これは初めから知能の推理の問題ですが、最初の知的推理が、いくつかの独

立した事項によって一つ一つ確かめられると、主客が転倒することになって、ゴールに到達したのだと確信をもっていえるようになるのです。私はベーカー街を出てくるとき、すでにこのゴールに到達していました。それ以後のことは、観察によって裏づけを求めただけのことでした」

ファグスンは額に皺をよせたところへ大きな手を押しあてて、しゃがれた声で、

「ホームズさん、お願いです。この問題の真相が分かっておいでなのでしたら、焦らさずにどうか早く教えて下さい。私の立場はどうなるのでしょう？　これからどうしたらよいのでしょう？ほんとに真相がお分かりなのでしたら、どこからどうしてお分かりになったのか、そんなことは私として問題じゃありません」

「いや、私としてはかならずあなたに説明すべきですし、いずれは申しあげるつもりです。しかしそれにしても、問題の処理方法は私におまかせ下さるでしょうね？　ワトスン君、夫人の状態は僕がお目にかかりに行っても大丈夫だろうか」

「夫人は病気だが、話のできないほどじゃない」

「それはありがたい。奥さんの面前でないと話はつきません。さあ、ごいっしょに参りましょう」

「私には会ってくれません」ファグスンは泣き声をだした。

「大丈夫、お会いになりますよ」といってホームズは紙きれに何やら二三行走り書きして、「ワトスン君、すくなくとも君は入室の許可を得ている。すまないがこれを奥さんに渡してきてくれないか」

私はまた二階へあがっていって、おずおずとドアを開けたドロレスに、ホームズの書いたものを渡した。するとまもなく部屋のなかに、歓喜と驚きのいりまじった叫び声がおこり、ドロレスがふたたび顔をあらわした。

「皆さんにお目にかかって、お話をうかがいたいとおっしゃいます」

私に呼ばれて、ファグスンとホームズがあがってきた。うちそろって部屋へはいってゆくと、ファグスンは寝台のうえに起きあがっている妻のほうへ二三歩あゆみよったが、夫人がそれを拒むように片手をあげたので、彼はそのまま肱掛けいすに腰をおとした。ホームズも驚いて眼を見はる夫人にかるく目礼してから、そのそばへ着席した。

「ドロレスさんには席をはずしてもらってもいいのですが」ホームズがいった。

「おや、そうですか。奥さんがそうおっしゃるのでしたら、いてもらってもいいのです。さてファグスンさん、私は来客の多い忙しい身です。話は簡単直截とゆきましょう。外科手術は手ばやくすればそれだけ苦痛が少ないですからね。まず手はじめに、ご安心のいくことから申しましょう。奥さんはたいへん温良で愛情深いかたなのに、ひどく虐遇せられていらっしゃるのですよ」

ファグスンはそれを聞くと、うれしそうな声をあげて坐りなおした。

「ホームズさん、その証明を聞かせて下さい。ご恩は一生忘れません」

「いいですとも。しかしそのためには、べつの方面であなたを深く傷つけることになりますよ」

「妻の潔白が立証されるのでしたら、私は何ものをも恐れはしません。それにくらべたら、百事もの数ではありません」

「ではまず、ベーカー街で私の胸に浮かんだ推理の過程から申しあげましょう。吸血鬼という考えかたは、一顧の価値だもないと思いました。イギリスの実際犯罪にはあり得べからざることです。しかもあなたの明確な観察があります。奥さんが口をまっ赤にして揺りかごのそばに立ちあがるところを、あなたは目撃しているのです」

「たしかにこの眼で見届けました」

「そのときあなたは、出血した傷口を吸ったのは血をのむためでなく、なにかほかに目的があるということに、お気がつかなかったですか？　イギリスの歴史にも、毒を吸いだすために傷口を吸った女王陛下があるではありませんか」

「なに、毒ですって？」

「南アメリカに関係の深いご一家です。階下の壁に飾ってあるような武器の類があるにちがいないことは、まだ見ぬまえから直覚的に私には分かっていました。事実はほかから来た毒なのかも知れないけれど、そのときはまずそれを思ったのです。

ところがこちらへうかがってから、壁に飾った小さな鳥弓のそばの矢筒が空になっているのを見て、自分の予想が的中しているのを知りました。もし赤ん坊が、矢毒またはこれに類する猛毒のついている矢でチクリと刺されたら、その毒を早く吸い出さないかぎり、死んでしまいます。

それにあの犬をごらんなさい！　もし誰かが毒を使おうとすれば、その効果が失われていないか、まず試験してみたくならないでしょうか？　犬のいることとは予想しませんでしたが、それを見てはすぐに合点がゆきましたし、また事実の跡づけにぴたりと合致するものでした。

もうお分かりになったでしょう? 奥さんはそういう手出しをふだんから怖れていたのです。そして現場を目撃したので、赤ちゃんの生命を救うため急いで毒を吸いとったのです。でもあなたには事実を打ちあけかねた——なにしろあなたのかわいがりかたがひと通りではないから、それをいえばあなたがどんなにか心を痛めると思ってねえ」

「あっ、ジャックが」

「さっきもあなたが赤ん坊をあやしているとき、私はジャックの顔をよく見ました。鎧扉が片がわ閉まっていたので、その窓ガラスに映って、ジャックの顔はよく見えました。あんなに深いそねみ、険しい憎悪にみちた顔は見たこともないほどでしたよ」

「おおジャックがねえ!」

「事実と対決しなければなりますまいね、ファグスンさん。ゆがめられた愛情、あなたやおそらくは亡き母上への病的にまで強められた愛情が、こうした行動を喚起したのです。ジャックの精神はあのすこやかな赤ん坊への憎悪で消耗しつくしたのです。自分の不具にたいして赤ん坊の健康とかわいらしい美しさが憎くてならなかったのです」

「うむ、そんなことがあるものでしょうか?」

「奥さん、私の申したのが事実でしょうね?」

夫人は枕に顔を埋ずめてすすり泣いていたが、こういわれて顔をおこし、良人の方へ向きなおった。

「私の口からどうしてそんなことが申されましょう？　あなたがどんなにか心配なさるだろうと、私はそれがお気の毒だったのです。ですから私でなく誰かほかの人の口から、あなたに分かるのを待つほうがよいと思ったのです。それで魔術師のようなこのおかたが、さきほど、自分は何もかも知っていると書いておよこしになりましたときは、ほっと致しましたわ」

「ジャックは一年ほど海岸にでもゆかせてあげるのですね。これが私の処方です」ホームズは腰をあげて、「奥さん、一つだけまだ分からないことがあります。ジャックを折檻なすったお気持は、私にもよく分かります。母としての我慢にも限度がありますからね。それにしてもこの二日間、赤ちゃんを手もとへおかないで、よくいられましたねえ」

「メースン夫人にはすっかり打ちあけました。あの人は何もかも知っているのです」

「なるほど、私もそんなことだろうと思っていました」

ファグスンは寝台のそばへよって、のどをつまらせながら、ふるえる両手をさしのべた。

「このへんで引きさがろうよ」ホームズが低い声で私にいった。「ドロレスのやつはちと忠実すぎるようだから、君片腕をかいこんでくれたまえ、反対がわは僕が引きうける。それ！」と女中を廊下へつれだすと、ドアを閉めながら、「こうしとけば、あとは二人でいいように話をつけるだろうよ」

この事件については、あともう一つだけ注釈をつけておけば足りる。それはこの事件の発端をなした手紙にたいしてホームズの書いた返事である。つぎのとおりだ。

十一月二十一日　ベーカー街にて

吸血鬼について

拝啓　十九日付御来簡に関して、貴社顧客なるミンシン小路の茶仲買商ファグスン・エンド・ミュアヘッド商会のロバート・ファグスン氏の事件調査を遂げ、満足すべき結論を得申候につきここに報告申上候。貴下のご推薦をあつく感謝しつつ

敬具

シャーロック・ホームズ

吸血鬼

ルイージ・カプアーナ

種村季弘訳

ロンブロゾオに

「笑いごとじゃないんだったら！」とレリオ・ジョルジが言った。

「どうして笑っちゃいけないんだ？」とモンジェリが応じた。「ぼくは幽霊なんか信じてやしないんだぜ」

「ぼくだって幽霊は信じてやしない……そんなものを信じちゃいかんって方が、ぼくの好みに合う」ジョルジはそうつづけた。「だからこそわざわざ君のところにきたんだ。ぼくの人生を地獄に変えて結婚生活を滅茶苦茶にしてしまうものの正体が何なのか、君なら探り出せるかもしらん」

「正体だって？　君の言っているのは、仮象《まぼろし》のことだね、想像の産物だよ。幻覚はたしかにひとつの厳然たる事実だ。だけど心のなかの出来事にすぎない。心のなかから一歩外に出たらなんの現実性《リアリティー》も意味しやしない。もうすこし正確に言えば、それはある知覚作用の外界にたいする投影なのだよ。つまり実際には見えないものが眼に見えるし、ありもしない音が聞こえる。無意識のなかに貯えられた過去の日々の印象が、願望夢のなかに現われてくることがよくあるのさ。どうやってなのか、どうしてなのかはわからない。眼を開けながら夢を見てる、というのが正しい言い方だね。もっとも幻覚にもそれぞれ区別をつける必要はある、一瞬しかつづかなくて、かならずしも器官障害や心的攪乱を意味しないやつと、こういった持続的な性質のやつと……しかし君のはむろんそんなんじゃないさ」

「だけどね——ぼくだけじゃないんだ。女房もなんだぜ」

「わかってないな。ぼくら専門家はね、精神病者に見られる幻覚を名づけて持続的幻覚と称している。君に症例を挙げるまでもあるまい……君たちが二人とも同じ幻覚に悩まされているのなら、こいつはじつに明白な転移のケースだね。きっと君の方が奥さんにうつしたんだろうな」

「そうじゃない、女房の方が先なんだ」

「というとつまり、君の神経組織の方が敏感で、彼女が君にうつしたわけだな。後生だから、君がぼくの専門家の隠語と称しているやつを、その詩人の鼻をひくつかせて軽蔑するのはやめてくれんかな、これはこれでいい所もあるんだ」

「一言でいい、ぼくに口をきかせてもらえないか……」

「触れない方がいいような問題ってのがあるんだよ。専門的な説明が欲しいのかい？　じゃあ、答はこうだ。いまのところ何もありゃしない、とね。ぼくら科学者は仮説で満足しなきゃならない。今日はこの仮説、明日は別の仮定、明後日になればそれがまた変る。ところが君たちの芸術家連中ときたらまったく奇妙な人種じゃないか！　何かといえばすぐに科学を馬鹿にしたがったり、君たちの進歩の土壌になっているあらゆる実験やら仮説やらを見くびりたがったりする。そのくせ個人的に自分に関係のある症状にぶつかると、明快で、厳密で、確定的な答を欲しがるんだからね。たしかに、そういう連中とはわけがちがう。もっと明けっぴろげになれってのかい？

科学はね、ぼくらが何も知らないってことを隠蔽する最上の手段なのだ。君の気を鎮めるためなら、なんなら幻覚について、転位について、神経過敏について、一席ぶつことだってできるんだよ。だがね、それは言葉だ、つまりは言葉以外の何物でもない！　研究に深入りすればするほど、一体何かあることを確信をもって断言できるものかどうかが、だんだん心許なくなってくるんだ。こんなことはそう大問題にしちゃいかんのだよ、人生成行きにまかすのがいいんだ。君や奥さんが遭っているような目には、いろんな人が遭っている。そのうちに消えてしまうよ。何だって躍起になって、そいつの正体を探り出すんだい？　夢を見て怖がってるのかい？」

「ぼくに話をさせてくれったら……」

「ではよろしい、話してくれ、君が心底から話したいというんならね。しかし言っておくがね、そんなことをしても事態を悪化させるだけだよ。こいつを退治するたった一つの方法は、別のことに没頭すること、気を逸らすことしかない。新しき悪魔によりて古き悪魔を追い出すべし——こいつは名文句なんだぜ」

「そんなことは皆やってみたさ。何の役にも立ちはしなかった。最初の徴候……最初の兆《きざし》が現われたのは、田舎のフォスコラーラの別荘でだった。怖くて逃げ帰ったんだが、都会《まち》に帰ったその晩にもう……」

「だって至極当然の話じゃないか。一体、君らの家にどんな気晴しがある？　旅に出た方がいいんだ、ホテル住いをするのさ、今日はこちら、明日はあちらとね。教会や美術館を見て回ったり、芝居を観に行ったり、そうしてくたくたに疲れて帰ってくる、それがいいんだ……」

「そいつもやってみたんだ、ところが……」

「君らだけでね、二人っきりでだ。大勢の人がいる所に出向いた方がいい、サロンに行くといい……」

「それもやった、やっぱり駄目だった」

「サロンにもよりけりさ」

「それが面白い連中だったんだ」

「つまりはエゴイストどもだな——で、君らはまた孤立してしまった。解ったよ、そういうのはね……」

「ぼくらも最高に御機嫌だったんだよ、皆と一緒にいる間はね。ところが皆さんをお招きしたり、家にお連れしたり、泊って頂いたりが、家ではできなくて……」

「じゃあ睡眠はとれたんだね。するとわからないな、そいつが夢なのかそれとも幻覚の方なのか……」

「夢だの、幻覚だの、そんなもの糞を食らえだ。ぼくも女房も頭はすっきり冴えて身も心も完全に健康だったんだ。いまのぼくと同じさ。ちゃんとぼくの話を聞いてもらいたいな……」

「聞いてるとも」

「すくなくとも事実経過を話させてくれよ」

「それはわかっている。その点なら精しいんだ。君らのケースなら本にいっぱい出てる。細かい点に多少違いはあるかもしれないけど……でも大したことはないさ。根本的にはまったく違いはないのだ。君は厄介事をもとめる人間なんだ、それが大事になればなるほどいい……失礼ながら、馬鹿げた話さ！　しかし君がそれで嬉しいんなら……」

「率直に言うがね――君は怖がってるみたいだぜ」

「何を？　なんて馬鹿な！」

「怖がってるのさ、君は意見を変えなきゃいかんよ。たったいま〈ぼくは幽霊なんか信じてない〉と言ったね。で、ぼくがいま君に幽霊を信じさせようとしたらどうする？」

「そりゃあ大打撃だろうね。一体、君は何だと思ってるんだ？　ぼくら科学者だって結局は人間なんだぜ。物事にたいする自分の見解をぐらつかされれば、知性は退いて感覚に席をゆずるさ。知性だって習慣の問題だ。では、はじめたまえ。君が体験したその恐ろしい話というのを聞かせてくれたまえ」

「では」とレリオ・ジョルジは溜息を吐《つ》きながら言った。「むろんこの話の不幸な発端は君も知っての通りだ――ぼくがあの当時何故アメリカへ行ったかは、知ってるね。ルイザの両親はぼくらの結婚に反対だった――おそらく彼らの方が正しかったんだろうと思う。なによりも未来の養子殿の懐具合《ふところぐあい》が心配だったのさ。ぼくの才能は全然信用されてなくてね。詩人としての将来を疑ってたというわけだ。未熟な詩句ずくめのこの小詩集はぼくの忌わしいかぎりの敵なのさ。それから今日という日まで、発表はいわずもがな、一行だって書いてやしない。それでいて君にしてからがぼくを〈詩人〉呼ばわりしてくれた。もうレッテルが貼られちゃって離れないんだ。畜生め」

「君たち詩人連中が、一生涯、とうに過ぎ去ったことにべったりへばりついているのと同じだね」

「まあそう急《せ》きたもうな。話を聞けよ。ブエノス・アイレスにいたあの三年間というもの、ぼくはルイザの消息をまったく知らされなかった。それからあの金持ちの伯父が、生きている間はぼくのことなんかこれっぽっちも面倒を見てくれなかったのに、遺産を残してくれた。ぼくは早速ヨーロッパに渡ってロンドンに急行し、二〇万ポンドを懐にしたその足でここにやってくると、ルイザは半年前に結婚してしまったとわかったわけさ！　ところが彼女を愛するぼくの気持は昔とちっとも変らなかった。哀れなあの娘《こ》は家族の矢の督促についに降参してしまったんだ。だけどあの事件の細かいところは大して重要じゃない……。そうはいってもぼくは、彼女にひどい非難の手紙を書くほど馬鹿じゃなかった。手紙が彼女の夫の手に入るかもしれないなどとは考えてもいなかった。つぎの日、彼が家に現われた。ぼくの愚かさ加減を知らされて、ぼくをなだめてくれようとしたんだ。彼自身は落着きはらっていた。

〈お手紙を返しに参上いたしました〉と言った。〈間違って封を切ってしまったのです。好奇心からではありません。その方がよかったのです。あなたが紳士であることは肝に銘じています。苦しいお気持はよく判ります。ですが私どもの家庭の平和を乱すおつもりもないと確信しております。事情をよくお考え下されば、誰もあなたに危害を加えようなどと思っていないことは、おわかり頂けましょう。これは純粋な不運でした。いまとなっては、あなたの義務がどういうものか、よくおわかりかと思います。腹蔵なく申し上げたいが、私は断固として、あらゆる手をつく

して、わが家の幸福を護る決心です〉

そう言いながら彼は顔面蒼白になり、声をふるわせていた。〈私の軽率はどうかお許し下さい〉とぼくは応じた。〈お気持をなだめて頂くために、明日パリに発つ、とつけ加えることをお許し下さい〉きっとぼくは相手より真っ蒼になっていたにちがいない。口をきくのがやっとだった。ぼくは手を差し出し、彼が握りしめた。ぼくは約束を守った。それから六箇月後、ぼくはルイザから電報を受け取った。〈未亡人になりました。私はいまでもあなたを愛しています。あなたは？〉彼女の夫は二箇月前に死んだのだ」

「人生そんなものさ――どうなるか一寸先は判らない……」

「ぼくもそう思った。しかし、それはかならずしもつねに真理とはかぎらない。生れてこの方、新婚初夜とその後の何箇月かというものほど、ぼくは幸福な思いを味わったことはなかった。ぼくたちは二人とも、彼女の前夫の話をすることを避けていた。ルイザは彼の痕跡を完全に破壊してしまっていた。恩知らずのせいじゃない、あの男は彼女を幸福にするためなら何でもやっていたからね。そうじゃなくて彼のことをわずかでも想い出させてぼくを刺激するのを心配したんだ。それは正しかった。法的に正当であるとはいえ、他人がかつて彼女を所有していたのだと考えると、ぼくはよく身体中がふるえた。ときどき彼女にそれを感づかれたこともある。すると美しい眼に涙があふれたものだ。しかし、彼女が子供ができたと打ち明けてくれたあの日、その顔がどんなに輝いたことだろう。いまでもはっきりと憶えている。ぼくらはコーヒーを飲んでいた。ぼくは立っていて、彼女は長椅子に腰を掛けながら心を打つような憔悴にみちた眼差しでじっとぼ

くを見つめていた。彼女が過去のことを口にしたのは、そのときがはじめてだった。〈あの人の子種を宿さなくてよかったわ！〉

そのときだ、ドアに誰かが拳でノックしているような音がはっきりと聞こえた。奉公人の誰かがきたのだと思ってぼくは確かめにドアに走ったが、隣りの部屋は空っぽだった」

「たぶん生木が乾燥でひび割れる音だったんだろう」

「ぼくがルイザに言ったのもそのことだった。ルイザは恐怖の表情を浮べたのでね。だけどぼく自身、納得がいかなかった。何分か待った。何も起らない。しかしこのとき以来、ぼくはルイザが一人になるのを怖がっているのに気がついたんだ。彼女はひどく興奮していたが、それを口にしたがらなかった。ぼくの方は、立ち入って聞く勇気もなかった」

「判ったよ、君たちはお互いに気がつかないうちに、二人で影響し合っていたんだ」

「ところが全然違う。二、三日もするとぼくはそのことをすっかりお笑い種《ぐさ》にして、ルイザの尋常ならぬ興奮は彼女の身体の具合のせいだと思った。それから彼女の方もだんだんに落着いてきたようだった。やがて子供が生れた。しかしそれから何箇月か後、彼女の恐怖が逆戻りしているのに気がついたんだ。夜になると身体中をふるわせながら、突然ぼくにしがみついてくることがあった。〈どうしたの、一体？　病気かい？〉ぼくが気がかりでそう訊ねる。〈怖いのよ、あなたには聞こえないの？〉〈いいや〉〈あれが聞こえないの？〉つぎの夜、彼女がまた訊ねた。〈いいや〉しかし三晩目にはぼくにもその足音が聞こえた。誰かがベッドの傍らを往ったりきたりしているような足音だ。彼女の恐怖を鎮めるために、〈いいや〉とぼくは言った。ぼくは首を上げてあたりを見回した。〈きっと部屋のなかに鼠がいるのさ……〉〈怖いわ！　怖いのよ！〉数日間、夜になるとベッドの周りに同じ無気味な足音が聞こえるのだった。誰かがベッドの周りを忍び足で歩いているような。ぼくたちは冴えた眼で横になりながらそれを待っているのだった」

「君の過敏すぎる神経が余計なことをしてくれたんだ」

「だけど君も知っての通り、ぼくはそう簡単に物に動じない人間だ。ぼくは向う見ずになった。ルイザのためを思ったんだ。原因を究明しようとした。遠くの音のエコーとか、壁や別荘の天井の梁のなかの偶然の物音とかね……。ぼくたちは都会《まち》へ戻った。しかし翌る晩にはもうまたしてもあの幻がやってきたのだ。前よりも始末が悪い。二度、誰かが寝台をはげしくゆすぶるような気がした。ぼくははね起きた。〈あの人よ！　あの人だわ！〉ルイザが口ごもりながら叫んでしがみついてきた」

「気を悪くしないでくれたまえ」とモンジェリがその言葉を遮って、「ぼくなら世界中の黄金を積まれたって金輪際未亡人とは結婚しないだろうね！　彼女がどれほど君を愛していても、多少とも亡夫の想い出がついて離れないのさ。奥さんが見ていたのは彼の亡霊じゃなかったんだ。この〈あの人〉というのは本当に彼のことなんだよ――彼が奥さんのなかに残していった、彼にたいする感情なんだ……」

「そうかもしれんね」とレリオ・ジョルジが答えた。「しかしその通りだとして――ではぼくに何の関係がある？」

「暗示さ。明々白々だ」

「真夜中の一定の時刻にかぎっての暗示かい?」

「君はそいつを待っているのだから、それだけで充分ありうる」

「では、ぼくの五官がシャット・アウトしているとき、眠っているときに、幻が現われるのはどういうんだ?」

「無意識はシャット・アウトされていない」

「話をさせてくれよ。話が終るまで君の説明は慎んでもらいたいな。そこで——翌朝のことだが、ぼくたちはいくらか落着いて事件を語り合うことができるようになっていた。ルイザがぼくに自分の印象を伝え、ぼくは彼女に自分のを説明した。こうして、結論としてあれが過熱した空想に踊らされた馬鹿げた茶番なんぞではありえない、とぼくは確信したんだ。きまって同じように寝台がゆすぶられ、同じように毛布を引っぱられる——しかもぼくが彼女に接吻をして慰めたりなだめたりしようとすると、それが見えない男の激怒をかき立てるみたいに、かならずそうなるんだ。するとある晩、ルイザがぼくの頸に腕を絡ませて、ゾッと鳥肌立たせるような声でぼくの耳元に囁いた。〈彼は約束したのよ!〉〈何と言ったのさ?〉〈どういうことなのかそのときは意味がわからなかった。ほら、ね! 君はぼくのものだ、って言ったの〉このときぼくが彼女を抱きしめようとすると、二本の強力な手がおそろしい権幕で彼女を引き離そうとするような気がした。ルイザも懸命に抵抗したのだけれど、とうとう彼女を離さざるをえなかった」

「明らかに彼女自身の反応だというのに、どうして彼女がそれに抵抗できるわけがある?」

「どうなと君の好きに考えるがいいさ……ぼく自身感じたんだ、何かが彼女をぼくの身体からもぎ離したんだ……彼女がのけざまに弾かれるのをこの眼で見た……と、彼女は跳び上って、子供の方に走っていった。子供のベッドはぼくらのベッドの足元に置いてあった。すると子供のベッドの車輪がギイッと軋む音が聞こえ、見ると部屋のなかをそれが滑っていき、毛布が空中に舞い上ったじゃないか。幻覚じゃなかった。ぼくたちは散らばったものを拾い上げて掛け直した。ところがすぐにまためくれ上って飛んでいってしまい、子供は恐ろしさのあまりしくしく泣き出す始末だった。三晩後、情勢はさらに悪化した。奴はルイザを邪悪な呪縛のなかにすっかり引きずり込んだようだった。彼女に話しかけても、ぼくの言うことが耳に入らないみたいだった。まるでぼくがその場にいないみたいなのだ。ルイザは彼と話しているようだった。彼女の方の返答を聞くと、彼が話しかけている言葉が判った。〈あなたは死んでしまったのよ、夫《うち》がそれに何をできて?〉〈いけないわ、駄目、どうしてそんな風に考えることができるの? 私があなたを毒殺したなんて? 恐ろしいことだわ!〉〈それにかわいそうな赤ちゃんがあなたに何をしたと仰言るの!〉〈どうしてそんなに不幸なの? あなたのためにお祈りしてあげたのよ……〉〈お祈りして欲しくないの? 私が欲しいのね? でも、あなたは死んでるのよ!〉ぼくはなんとかして彼女を忘我の境から醒めさせようとしてみたが、無駄だった。そのうちに彼女はようやく我に帰った。〈お聞きになって?〉と彼女が訊ねた。〈私があの人を毒殺したって言うの。あなたはまさかそんなことを信じないでしょう……ああ、神さま！　赤ちゃんはどうなるの? あの人はあの子を殺す気だわ。聞いたでしょ?〉ぼくには何も聞こえなかったけれど、事は明白だった。ルイザは空想に耽っていたわけじゃない。彼女は子供をしっかりと抱きしめて泣いていた。〈どうすればいいのかしら、私たち？　ほんとうにどうすればいいの？〉」

「だって子供はなんともなかったじゃないか。彼女もそれで気が鎮まっただろう」

「君はそんなに簡単にこの一件を考えてるのか？　信仰の固い人間だってこんなことには魂を震撼させられるものだぜ。ぼくは断じて迷信家じゃないけれど、そうかといって無神論者でもない。宗教に凝る暇はなかった。しかしこの場合には、司祭を引っぱってくるのが最上の策だとぼくも思った」

「悪魔祓いをしたわけだね？」

「いや。だけど司祭には祝福を唱えてもらい、聖水を撒いてもらった……彼女の神経がどうかなっているにしても、なんといってもルイザのためだ。ルイザは宗教的な人間だ。笑わば笑えさ、君がぼくの立場だったらどうしたか、見たいものだよ」

「聖水は役に立ったかい？」

「全然駄目。効果零《ゼロ》だった」

「思いつきはしかしそう悪くなかったな。神経障害のなかにはそんな手で治るやつもあるんだ。昔そういうケースがあったよ――鼻がだんだん長くなると思い込んでいた男でね。ある医者が手術をするようなふりをしたんだ、すると実際には何もやらなかったのに、けろりと治っちまった」

「聖水は反対に事態をことごとく悪化させたんだ。つぎの日の夜……神さま！　金輪際思い出したくないな！　奴は今度は子供に襲いかかってきたようだった……恐ろしい出来事だった。ルイザが見ると……」

「ねえ、君、いいかい……ぼくも見たんだ……」

彼女は子供のベッドのところまで行けなかった。何かが邪魔しているんだ。彼女はまるで根が生えたように棒立ちになって、両手を子供の方に向って差し伸べていた……そしてあいつが――彼女が説明してくれたところによると――子供の上にかがんで恐ろしいことをしていたんだ……赤ん坊の口に唇をぴったりと押しつけて、血を吸っていたんだ……三晩の間、この身も凍るようなお遊戯がつづいて、哀れな赤ん坊は……きっと君にはあの子の昔の面影が判るまい……前には丸々と肥って薔薇色の血色をしてたんだ、それがいまは……三晩後には……これがどうして空想のはずがある。家へきて、君自身の眼で見てみるがいい」

「本当にその通りだっていうんだね？」

モンジェリは額に皺を寄せてしばらくの間考え込んだ。レリオ・ジョルジの話を聞きながら浮べていた、嘲るような、いくぶん同情的な笑みは、突然消えていた。モンジェリは顔を上げて言った。

「本当にその通りだっていうんだね？　まあ聞けよ。ぼくにはこの問題の説明はできない。説明はつけられないと思う。助言をして上げることだけはできそうだが、しかし、たぶん君は腹を抱えて笑うだろう……助言通りにするかどうか、それは君次第だ」

「君の言うことをすぐにも実行するよ」

「二、三日はかかる。やるときにはぼくもお手伝いしよう。君が話してくれたことはその通りに間違いないと信じる。そこでつけ加えておかなくてはならないのだが、科学も、こうした問題にすこし立ち入って取組んでからというもの、それほど懐疑的ではないということなんだ。ただ肝腎なのは、こうしたことを自然現象として、それも心霊現象ではなくて物理現象として見るということだ。心霊現象なら当方の縄張りじゃない。司祭や心霊論者にまかしておけばいい。ぼくらが係わり合っているのは、人間の構成要素たる肉や血や骨だ。人間が死ねば、もとの元素に還ってしまうそういうものだ。問題はつまりこういうことにすぎない。この解体が死の瞬間にただちに介入してきてそれで生命を一巻の終りにしてしまうのか、それとも死後しばらくの時間が経過してはじめて器官の諸機能が停止するようなケースがあるのか？　後者の場合がありうる、という想定が有力なんだ。科学は、今日、迷信のなかのかなりのものの意味を認めるところまできている。ぼく自身は三年前から老婆や〈魔女〉たちの迷信医療の問題と取組んでいて、それが事実上蒼古たる秘密科学の残滓であって、しかもたぶん今日でも動物たちの生態に観察される本能でもあるらしい、という結論にいよいよ近づいている。人間がもっと動物に近かった時代には、治癒力のある植物を本能的に推測したのだね。ところが動物の水準から脱して進化してしまうと、この能力を失ってしまった。いまだに自然としたたかに接続しているプリミティヴな農婦のあるものたちだけは、こうした医療術のセンスを保持しつづけた。ぼくは、科学が彼女たちを精細に研究すべきだと思う。迷信はそのどれもが真理の萌芽を一粒ずつ孕んでいるのだからね。いや、思わぬ脱線をしてしまって申し訳ない……科学者は今日ではこんな風な仮説を立ててるんだ。人間の生命は死とともに直接に終るわけではなくて、肉体の分解が起きるときはじめて終結するのだ、とね。これは吸血鬼にまつわる迷信が奈辺に由来するかを説明してくれるね。吸血鬼は死後も生きつづけている人間なのだ。びっくりしたようだね、しかしこれが、科学と迷信、というかむしろプリミティヴな直観が認め合う例のケースのなかの一つなんだ。ところで、この、健康な人間から血と生命力とを吸いとる、邪悪な、霊魂のない存在に対抗する手段というのは、一体どんなものなのだろう？　生前の肉体を完全に破壊しさることだ。吸血鬼が出現したところならどこでも、犠牲者たちはすぐさま墓場に急行して問題の屍体を掘り起し、それをすっかり焼いてしまう。すると吸血鬼は正真正銘死んで、夜の訪問は歇《や》むのだ。ところで聞かせてくれないか、君の子供は……」

「一緒にきて、見てやってくれたまえ、あれがあの子だとは到底見分けがつかないだろう。ぼくだって五十歩百歩だ。たえずなんとかして、こんなことが現実《ほんとう》であるわけがない、こんなことは絶対にないんだ、と自分で自分に言い聞かしている。〈彼女があの男を毒殺したのなら、ぼくのためにしてくれたんだ。それこそは彼女の愛の証《あかし》だ……〉とさえ思う。しかしそう思ったところで何の役にも立ちはしない。そう思うこと自体が厭でたまらないんだ、いや、彼女さえもが厭らしく思えてくる……なにもかも彼の仕業なんだ！　しかも彼は一刻も休ませてはくれない。ルイザの返答でそれがわかるんだ。〈どうしたの？　あなたを毒殺したって？　どうしてそんなことをお考えになるの？〉もうこんな生活には耐えられない。何箇月も前からずっとこんな具合なんだ。ぼくが事情を打ち明けた人間は君がはじめてだ。ぼくはものすごく絶望している、助けてくれ……ぼくたちだけなら、二人ともとうにすべてを諦めてしまっている……だけどかわいそうな子供が！」

「友人としてまた専門家として、一つだけ君に助言できることがある。屍体を焼かせてしまうのだ。奥さんならきっと許可をもらえるはずだ。手続きを急がせるのならぼくも手を藉そう。科学そのものなら、そんなインチキ療法めいた方法を採用したり、すこぶる迷信臭い手段に訴えたりするのを潔しとはすまい。屍体焼却。大急ぎでだ」自分が無智蒙昧の徒と見られているのではあるまいかと相手が懸念しているのを、友人の顔色に読み取ると、モンジェリはそうつけ加えた。

「しかし子供はどうなる？」両の手をよじりながら、レリオ・ジョルジが叫んだ。

「いつぞやの夜もついに堪忍袋の緒が切れて、子供の上にガバとひれ伏すと、声をかぎりに絶叫したんだ。〈出てけ！　後生だから出てってくれ！〉とね。ところがぼくは、まるで根が生えたように、微動だにせずに棒立ちになったままだった。言葉が喉につかえたきりになったように口ごもりながらね。君には想像も及ぶまいが……」

「どうかね、今夜一晩、君たちの部屋でぼくに夜番させてくれないか？」

「御好意に甘える気はない……だってそんなことをすれば彼の怒りをこれ以上煽るようなものじゃないか。いちばんいいのは、明日まで様子を見ることだ」

だが、翌日、彼はまたしても現われた。今度は、モンジェリが大真面目で、気は確かかと訊ねたほど錯乱していた。

「彼は何もかも知ってるんだ！」レリオ・ジョルジは口ごもった。「畜生め、まったく何て夜だったことだろう！　奴はものすごいことを言って脅迫した、もしもぼくたちがかりに……」

「だからこそ尚更あれをしなきゃ」モンジェリが応えた。

「奴が子供のベッドに襲いかかるところを君が見てたらなあ！　かわいそうなあの子がまだ生きてるのが不思議だ。ルイザは泣きながら彼の前に跪いた。〈あなたのものになりますとも〉と彼女は叫んだ。〈あなただけのものに、ですから子供だけは赦して下さいな！〉この瞬間、ぼくにははっきり判った。もはや彼女とぼくを結ぶきずなはなにひとつない、彼女は奴だけのもので、もうぼくのものじゃないのだ、とね」

「落着きたまえ！　奴を打倒してやろう。今夜、君のところに行くよ」

モンジェリは、自分がきているときにまさか吸血鬼が姿を現わすことはあるまいと確信してはいたが、約束を守った。「いずれにせよ」と彼は考えたのだった。「中立的な、無関係の第三者がいると、正体不明の怪物は追っ払われるものだ。どういう風にしてか、どういう訳だかは判らないのだが」

最初の数時間というもの、本当にそんな感じに見えた。ルイザは不安そうにあたりを見回していたが、何も起らなかった。子供は蒼ざめて疲れ切っていたが、ベッドのなかですやすやと眠っていた。レリオ・ジョルジはなんとか平静を保とうと懸命だったが、神経質そうにたえず妻からゆったりと腰掛けているモンジェリの方へと視線を動かしていた。

三人はあれこれの話題に興じた。モンジェリは最近の休暇中の面白いアヴァンチュールを話した。モンジェリは話し上手だった。二人の注意を逸らして、いざ幻が現われたときに、干渉されずに観察することができればいいのだがと思いめぐらしていたのだった。すると突然、子供のベッドの方に眼をやると、それがかすかに動くのが眼にとまった。両親は部屋の向う側にいたので、ベッドに突き当るはずもなかった。モンジェリはふいに黙りこくり、二人が跳び上って彼の視線の行方を追った。とこうするうちにベッドはますますはげしく動き出した。ルイザは「おお、神さま、私のかわいそうな赤ちゃんが！」と叫ぶが早いかベッドの方に駆け寄ったが、突然身体を硬直させて寝椅子の上に崩折れた。彼女は死人のように蒼白な顔をして眼玉をぐるぐる回転させ、ほとんど窒息しそうな面持ちでなにやら訳のわからない言葉をぶつぶつと呟いた。

「何でもありゃしないさ！」モンジェリは立ち上りながら言って、恐怖にふるえているレリオの手を執った。するとこのとき、わなわなと身を震わせながらルイザがようやく我に還った。だが、彼女の注目は眼に見えない存在《もの》に向けられているらしく、他人《ひと》には聞こえないが、彼女の返す言葉からそれとわかる言葉に耳を凝らしていた。

「私があなたを傷つけようと思っていたなんて、どうしてそんなことが仰言れるの？　だってあなたのためにお祈りを上げているのよ……一体私が何をしたというの、だってあなたは死んでるじゃないの？　死んでいないのなら、あなたを毒殺するなんてことが一体どうやってできたのかしら？　私が彼と結託していたというのね？　彼が毒薬を送ってきたのですって？　どうしてそんなことが言えるのかしら？　私は約束を守ったのよ！　本当ですとも！　馬鹿らしいったらない！　いいえ、あなたが死んでいるなんて、もう言いたくない……いいえ、もう絶対に……」

「自発性催眠状態の症状だ！」とモンジェリが言った。「まかしときたまえ」

モンジェリはルイザの手首をつかんで大声で「出てこい！」と叫んだ。彼女がそれに粗暴な、憤ろしい男の声で答えるとモンジェリはぎくっとして後退りした。顔つきが固く、不敵になって、彼女はすっかり人が変ってしまったようだった。やさしい、はにかむような美しさが消え失せていた。

「何をしようというんだ？　何だって割り込んでくるんだ？」

モンジェリはきっとなった。自分までが過熱した空想の力に屈してしまうのではないかと怖れて、一瞬ふとひるんだ。だが、疑う余地はなかった。ベッドがまぎれもなくゆらゆらと揺れ、ルイザの口を借りて邪悪な霊が語っているのだった。モンジェリは、そのぶっきら棒な男のような声におびえたのが腹立たしくなって、立ち上ると甲高い声を上げた。「やめろ！　たったいま、やめるんだ！」

その口調がおそろしく断固としていたので、若い夫人は命に従うにちがいないと思われたが、驚いたことに彼女は嘲るような高笑いの声を上げた。

「すぐにやめるんだ！」彼はさらに声をきびしくして叫んだ。

「ハッハ！　毒殺犯がもう一人ふえたか！　貴様も共犯だったのだな？」

モンジェリは、さながら生ける人を相手に話をしているように、返事をしないわけにはいかなかった。なんとかして平静を保とうとしてみたが、それでも見えない拳《こぶし》が二度自分の肩の上をとんとんと叩くのを感じると、恐ろしさに縮み上った。ランプの方を振り向くと、灯りのなかから影絵のようにくっきりと浮き出した、蠟燭の油煙のような、ねずみ色の痩せた手が見えた。

「見えたかい？　見えただろう？」ジョルジがむせび泣くような声で言った。

突然、幻影は消えた。ルイザは、眠っていたもののように催眠状態から我に還り、夫とモンジェリの方に物問いたげに眼を注いだ。両人の方も同じく呆然として、言葉もなく静かになった部屋のなかを見回していた。誰も口をきこうとしなかった。ベッドから洩れてくるかすかな泣き声が、ようやく一同の顔をそちらの方に向けさせた。子供は呻き声を上げながら必死に身を防いでいるようだった。何物かが口の上に圧しかぶさっているとでもいうように……やがてそれも終り、もう何事も起らなかった。

翌朝家に帰る道すがら、モンジェリは、通俗的な迷信が関係していると覚しいこれらの症例を研究しようとはしない科学者たちの愚鈍を思案するよりも、二日前に友人に向って言ったあの言葉のことを脳裡に浮べていた。そう、世界中の黄金を山と積まれてもぼくなら未亡人とは結婚しないだろう。

科学者としてはモンジェリは、彼の学問的名声が学界や公衆の面前で傷つく可能性をも怖れずに（ルイザの前夫の屍体を焼却しても何もならなかった場合のことであるが）とことんまで実験を遂行して、首尾よく問題を解決していた。実験は通俗的迷信の真理を確証し、屍体を焼いてからというもの、レリオ・ジョルジとルイザ夫人は憑き物が落ちたようにぴたりと亡霊の訪問を受けなくなっていたとはいうものの、モンジェリがこの症例について書き上げた論文は、かならずしも真実を率直に伝えてはいなかった。すなわち、事態はかくかくでその結果はこうであり、通俗的迷信が科学の狭量に凱歌を挙げ、屍体が灰にされるや吸血鬼は完全に死んだ、と書くことをあえて憚ったのだった。それどころか、報告の細部に「とすれば」とか「しかるに」をしこたま詰め込み、「幻覚」だの、「暗示」だの、「転位」だのを科学的推論中にふんだんに使い、こうして、知性といえども習慣の問題にすぎないとか、意見を変えるのが億劫になったとか、すでに自認していたことを確認するだけの結果に終ったのであった。

さらに奇妙に思えることに、彼は生活上でいくぶん辻褄の合わないところを見せたのである。世界中の有金を積まれても未亡人とは結婚しない、と誓っておきながら、年金七千ポンドというかなり少額の金目当てにさる未亡人と結婚したのであった。友人のレリオ・ジョルジにずばりその点を指摘されたとき、「何だって、君?」と彼は反問したものだった。「だって彼女《あれ》の夫はもう七年も前に死んだんだぜ、前夫の痕跡なんかこれっぽちも残ってやしないんだ」だがそう言いながら彼は、この言葉が『いわゆる吸血鬼信仰の症状』なる学術論文の著者——つまりは彼自身の見解に反するものであることに、いささかも気がついていなかったのである。

吸血鬼を救いにいこう

ベレン
種村季弘／橋本綱訳

辛いことだが認めよう。この肺病やみの時代には、動脈のなかにはや数滴の血しか残っていないのだと。

――ロートレアモン

吸血鬼は、いましも息絶えなんばかりだ。その顔の蒼白《あおじろ》さは、今や墓石《はかいし》の大理石の色とも見紛うばかり。かつてはあれほど狂熱を帯びて美しかった両の眼からは、輝きはおおかた失せてしまった。彼はいまにも息絶えなんばかり。それなのに、私たちは彼を救うために何もしてやれないのだとは。

ある日吸血鬼は、墓地を通りぬけて行く異国の娘の姿を見初《みそ》めてそのあとを追った、そんなことをせずに、生れ故郷に留まっていればよかったのに。彼はその娘の血を吸いたいと思ったのだ。彼女の血の外にはもう何も欲しくなかった——私はそのことを非難しているのではない、誰しも同じような強迫観念に覚えはあろう——こうして彼は、いくつもの国々を通り、いくつもの大洋を越えて娘のあとを追って行った。かつて私たちの先祖のノスフ叔父がしたように。どうして彼は、同じように気まぐれ色をしたひとめ惚れの犠牲となったノスフの悲惨な最期を想い起してはくれなかったのか！

今となっては、ああ！　いくら歎いたとて何のたしにもなりはしない。

彼が自分の柩をかかえて「外吸歓協」(1)の本部にやって来たのを、私は昨日のことのように覚えている。私たちは彼に、陽の光の当らないこぎれいな地下埋葬所と、彼の白昼夢につきまとうあの美しい女が住んでいる、たっぷり血のつまった街区とを当てがうために最善をつくした。彼は彼女を見つけ出し、誘惑して滋養をとるすべも知っていた。

これで彼にはなに不自由はない筈だった。それなのに、驚いたではないか、彼は眼に見えてみるみる衰弱してきたのだ。そこで「協会」は最高に高蛋白の、とっておきの貯蔵栄養分を彼にあたえた。打つ手はもうなかった。彼は不可解にも日一日とやつれはてていったのだ。

私たちの最も権威ある医者団がそれぞれの墓から出て来てこの症状を診察した。そして彼らの報告によって、私たちの客人がむごたらしい断末魔のうちに絶命する運命を避けられないことがわかった。でなければ、饑餓による衰弱のために。（彼を救うことが出来たかもしれないたった一人の人間のことは、私たちが気を配って調べておいたのだが、習慣になっていた吸血をしてもらえなくなって、充血のために数日前に死んだばかりだった。これは、この可哀相な病人の生れ故郷の年老いた城主で、彼に役立つ唯一の、またとない見本であった。）

わが「赤輪」の看護婦たちは、以来、別の見本や、これに関する情報を探し求めて村々や墓地を歩きまわった。しかし私の望みは暗い。彼は、吸血鬼は、いまにも死にそうだ。私たちがついに堪能させてやれなかった欲望の犠牲となり果て、私たちの彼にあの滋養分を与えてやれない無能力のために。

悲しい運命《さだめ》だ。けれども、――いつも決まった時間に、ブルジョア風に、あの城主の血を飲んでいたら――ある日墓地を通りぬけていくのを見た、ペチコートをはいた頸動脈のあとを追いかけていくとかくも致命的な危険をおかすことになるなどと、夢にも知ることはなかったのではな

いか？　自分がこの地上では殆ど皆無の、第六血液型に属していたのだということを、どうして
その時知ることができただろうか？[2]

（原註）　1　外国吸血鬼歓迎協会
2　きっと、反論しようと思っている（科学的な）人たちがいることだろう。彼らがこう言うのがきこえる。（――ベレンは、血液の姻戚関係は輸血の時にしか作用しないということを、知らないのだろうか？）ああ、何という無知！　一体、彼らは、自分たちの言う「真理」を発見するために、私と同じくらい吸血鬼を知ったのだろうか？　私たちの闇の世界では、ことはこのように定っているのだ。もし私を信じようとしないなら、いつなりと、ことに食事の時間に私たちを見に来るがよい。

受身の吸血鬼

ジェラシム・ルカ
種村季弘／橋本綱訳

いくたび私はお前のことを考えたことだろうか。黄昏時の六時、トロカデロの地下鉄の前で、刃尖のとがった鋏を勃起した男根のように掌に握りしめて、長く垂らしたお下げ髪の小学生の女の子たちを待ち伏せている、髪の崇拝者たるお前のことを。

今はシャツの下に隠されている鋏と髪、それがあの偶然の出会いの場、マルドロオルの解剖台を想い起させるのは何故であろう？

このオブジェとなった女、風が吹き抜け、受身の吸血鬼たちの乳で満たされたピペットが出入りする、透き通った乳白色の皮膚の上の心霊体の冷たい破片である漂う心臓、この固形の影が、とびきりの美女たちの足元に置かれるように解剖台の上にのせられるのは何故なのか？

だがそうでもしなければ傷の観念のように能動的でも受動的でもあり、太陽光線のスペクトルから生れた白色のように誘発体でもあれば被誘発体でもある私の存在の根底にひそむサド＝マゾヒスト的紛糾を、どうして私に見つけ出せたであろうか？　私がいま差し出そうとしているこの血がなかったら、血を流したい、血の浴槽の中につかりたい、血を飲みたい、血を吸い込みたい、という私のやむにやまれぬ崇高なる欲望をどうして私は理解することができたであろうか？

次第次第に豊かになり、くらくなりまさる母なる乳房、数学的な正確さで私たちの一挙手一投足を支配している母なる乳房、一滴一滴と血が流される度に、どれほどそれが近づいてくることか？
一通の手紙よりも蒼白な美貌の吸血鬼は、両の眼を閉じ、霧の髪を肩の上、剣《つるぎ》の上に振り乱して、狂気の如く吸血する。前へ後へ、孤独の中でひそかに跳躍を演じながら彼は過去を判じ、未来を露わにし、世界の上に幽霊のような光を、暗黒の光を投げかける。

私は吸血鬼どものように能動的に眼を閉じる、私は吸血鬼どものように受動的に内部で眼を開く。すると入って来る血、噴出する血と、すでに私の中にあった血とのあいだに、短刀の一撃のようなイマージュの交換が起る。

今や私はピアノを食べられる、テーブルを貪り食うことができる、階段を吸い込むことができる。私の身体《からだ》の穴という穴から、ピアノやテーブルや階段の骸骨が出て来る。こうして初めてこれらの日用品、したがって存在していない事物が生きてくる。

私は階段を登る、二階に行きつくためではなく、さらに自分の近くにたどりつくためにだ。私は手すりに寄りかかる、めまいを避けんがためではなく、めまいを維持せんがために。最後の階について、じかに通りに面している扉をあければ、私は虚空に墜落するだろうが死にはすまい。それでもなおかつ死んだとしても、この死という現象は、別の、もっと客観的で、もっと理解しやすい現象に使われる口実にすぎない。私には罪悪感なら理解できるが死は理解できない。この不正、この誤謬がどうしてこれ程多くの世代を総ナメにしてくることができたのか、なぜ人間たちがこれを一つの究極とみなすことができるのか、私にはどうしても理解できない。永生の霊薬が錬金術士たちの幻想であり夢であるこの世界では、死は取り返しのつかない、決定的なものだ。私たちにとっては、錬金術士たちの夢も、他の夢と同様に現実なのである。永生の霊薬は予言的な夢なのだ。すなわち、将来の死とはせいぜいが、快楽の気持の悪い代用物、過去の幾世代によって伝えられてきた、外傷の傷跡にすぎぬものとなり、それは衝動の影と光との戯れを保ち続ける。だが、取り返しのつかぬ、決定的な肉体の死というものは、不気味なユウトピアとなろう。無邪気にも〈自然死〉を云々できるのは、ただ現実の社会の一部であるところの屍体の心理学に通じた人びとだけなのだ。

自分の夢を生きるようになってから、来《きた》るべき諸世紀の同時代人となってから、私は他の人間たちの抱く、無化の相のもとなる死とは無縁なのだ。ただひどく気の滅入った時には、街中で刑事《デカ》や司祭と肱《ひじ》つきあわせることを現在では余儀なくされているのと全く同じように、私が生れ合せたこの下司野郎の世界では、死んでいくことをも余儀なくされるだろうと考えないこともない。

けれどもこうした、ひどく気の滅入った時ですら、私の生命を奪いとることはできない。ときどきおちこむこの偽の濠《ほり》の外側にある私の夜と昼の生こそが現実なのだ。ここでは、死は現実のものとなるために、欲望の中に己の等価物を探す。そしてこの新しい様相のもとにおいてこそ、死は私たちの精神の力学《メカニック》の中で一つの機能を果すことができる。それは、何らかの自己同一性《イダンティテ》の背後に姿を消してしまう〈ファントマ〉が、黒いタイツと、眼と口に穴のあいた頭巾を身につけた時のみ、「恐怖の支配者」、「犯罪の天才」、「拷問者」となるのと全く同じである。

私は白いビロオドの服を身にまとい、解剖台の上で（そうでなければ乳母車の上に身をかがめて）できるなら人を殺したい。カーテンが上げられた、月の光の差し込む窓のそばのもう一つの解剖台には、あの美しくも無言の吸血鬼。燕尾服を着、鳥の首のようにむき出しになった首に唇をおしつけた彼は、今や、生きている楽器で血の脈動を演奏するフルート奏者にも似ている。わずかに引き延ばされた間隔をおいて、血のしずくが楽器から唇へと移動する。ひとくち、ひとくち、血はしばし口の中に留められ、彼の鼻孔を香りで満し、呼吸を酔わせる。胸の上に振りおろされる火の鞭のように、この飲みものは人体をすばやく横切っていく。

前よりさらに蒼白く、さらに孤独にもなったであろうか、よろめきつつ、美しき吸血鬼はなお一口の血を呑みほす。窓のそばの月の光を顔に浴びた吸血鬼をときおり眺めやりながら、白いビロオドを着て私は生きている子供を解剖したい。

ドラキュラドラキュラ

――トランシルヴァニアの物語――

H・C・アルトマン
種村季弘訳

I

富裕な両親の一粒種の遺児トランシルヴァニアとフツーレの大学生ジョン・アッダーレイ・バンクロフトと、その婚約者《いいなずけ》エドウァルダ・コーンウォリスは、いましもスツァトマールからカルパチアの小都市マンドラークに向う車中の人となっている。一等車の客室《コンパートメント》には、押型製硝子の人工花の蔭にきらめくガス・ライトの火が燃えている。車窓をかすめて過ぎる風景の空の上に夜が緩慢に闖入してくる。罅《ひび》だらけの峨々たる岩石——眼路のかぎり荒涼としてひろがるカルパチア地方！

物凄い咆哮の声が蒼ざめた月の方《かた》へと立ち昇って行く。狼だろうか？　遠くを走る汽車の汽笛だろうか？　誰が知ろう……

「さあ、エドウァルダ、行先《さき》に着くまであと十時間か十一時間の辛抱だからね……」

「ジョン、ねえあなた、こんな旅行、私たちしなければよかったと思ってたの！」

ジョン・アッダーレイ・バンクロフトは優雅な網棚の上から平べったい黒皮のケースを下す。黄色く変色した天鵞絨《ビロード》の上には彫琢を入れた二挺の拳銃……

「ねえ、エドウァルダったら、これさえありゃあ《ドント・フォーゲット・ソーズ》……」

II

マンドラークの駅には朝まだきの薄闇のなかに斜視《やぶにらみ》の男が一人、バンクロフトとエドウァルダを待っている。侍従男爵マクシミニウである。

「侍従男爵マクシミニウでございます《エオ・スム・マクシミニウ・クネッルイ・セルヴー》……」

J・A・バンクロフトははじめて実地にトランシルヴァニア語を耳にする……

マクシミニウは荷物を受取って扉の閉っている二頭立馬車の方へ運んで行く……

「こいつは自分で持って行きます《アセストウ・ヴォル・デ・ボルタ・プレゾナーレ》！」Mが黒いケースを手に取ろうとし、ジョン・アッダーレイ・バンクロフトが大声で叫ぶ。いや、これだけは自分で持って行きたいのです。馬車は旅の客を乗せて死都のように静まり返った田舎町の街中《まちなか》をガラガラと走りすぎる。

III

聖シメオン寺院の蒼古とした伽藍のあたりまでくると二頭の馬が怖気《おぞけ》立ち、その悪魔じみた嘶《いなな》きが血まみれの布をズタズタにするように早朝の空気を引裂く。馭者台のマクシミニウが馬どもをやっとの思いでなだめすかす。エドウァルダは胸の底からぞっとするような思い。ああ神さま、この先一体どうなりますことやら?

馬車は首の根をへし折られるような悪路をなおも進み、はや泥濘《ぬかるみ》だらけのマンドラークの街並は何哩《マイル》も背後に退き、斜視《しりえ》のマクシミニウの行手には脅かすような山脈《やまなみ》が重畳として聳えはじめる……

IV

叫び声! どこからくるのだろう? 城のあんぐりと口を開いたドームからか、翼屋からか! 夜の雲間を縫って不気味に滑る狼月の骨づくりの黄色からか?

エドウァルダは浅い眠りからぞっとして醒める。フランス窓が開け放され、純白のカーテンが暗い部屋のなかで死んだ女《ひと》の花嫁衣裳のようにどんよりとはためく……

ジョン、神さま、ジョン、助《ヘル》けて、助《ヘル》けて!

とエドウァルダが叫ぶ、ジョン・バンクロフトが隣室からパジャマ姿で駆けつける。

落着いて、お前、悪い夢を見ただけだったんだよ!

あれが本当に悪い夢を見ただけだったのかしら?

V

私は、と伯爵は優雅な微笑みを浮べながら言う、非常に古い家柄の出でしてな。そう言いながら、いくらか暑い、とでもいうように紫の燕尾服の裾をさっとばかりに翻す。黴《かび》だわ、エドゥァルダはぞっとしてそう思う。ジョン・バンクロフトはこんな熱病じみた赤をいつか見たことがあるが、それがいつのことだったのかは思い出せない、その絹の裏地がドラキュラの外套《バルトオ》のなかで炎と燃えているようだ。

高い窓の前、夢のなかで蝙蝠《こうもり》どもが動き回り、その翼が規則的な間《ま》を置きながら、怪物の子供がゼンマイを巻いた忌わしい玩具のようにひくひくと痙攣する。

珈琲の味がちょっと塩辛いので驚かれておいでのようですね、と伯爵がエドゥァルダに向って言う……いや、これがこの地方の風習でしてね！

VI

Dear sirs, Cstl. Nsfrt. Oct., 3. 18.

climip ewfrom fasurcestionsorbab derllad denwoo niall cologlesodd tingslan cesin on was the redvee away omorr (sic!). Old Ziakeh offerlowney desiuth ringhea gionre srabnarap flectree valid owhere nungleap (sic!)

Yours truly
Johann Adderley Bancroft

ここに一クローネある、いいかね、この手紙のことは誰にも言っちゃいかんぞ……
片眼の郵便配達夫はバンクロフトの手紙を受取り、その手を廢兵帽の縁にかざす。
暗号文書ははたしてテームズの岸辺に届くであろうか?

VII

秋の陽射しがさんさんと降りそそぐ午後のこの世ならぬ静寂に包まれて、エドゥァルダは城の庭園のなかに一枚の黄ばんだ写真を見つける。久しく寝かしておいた間にどうやら褪色してしまったらしい、年若い少女の顔を写した写真である。奇妙なことに、写真の少女の頸部には甲虫の細かい触鬚が付着している……この少女《ひと》の顔ったらどことなく私に似てるわ、とエドゥァルダが言う。馬鹿な、お前、バンクロフトが口をはさむが、彼の微笑みはどことなく作り笑いのような感じだ。彼は甲虫の触鬚をピンセットで剝がし、その写真を書類鞄の秘密入れのなかに蔵う。

VIII

何か私でお役に立つことがありますかな? と伯爵が訊ねる。ジョン・バンクロフトは際限のない天手古舞をなんとかとり鎮めようとしてみる。まさかドラキュラが城のなかにいようとは想像もしなかったのだ、城の堡塁の上にいるとばかり思っていたのが、この家の主人は突然羽根が生えたように眼の前に立っていて、英国人がいましも秘密の扉のほとんどはっきり見えない輪郭を、刃尖で探っていた、その彫琢を入れたポケットナイフを興味津々の面持ちでしげしげと眺めやっている。

おそろしく厄介な状況が出来上ってしまったわけだ！

IX

村に着いてからジョン・アッダーレイ・バンクロフトは伯爵の農奴たちを何人か会話に巻き込む。

「ドラキュラ城から来た者だが」

「城から？」蒼白になった唇から言葉が洩れる……狼や蝙蝠どものあの大道商人《あきんど》の名を口にすると、途端にこの正直者たちの山羊鬚が四方八方に動き回るのだ。

「おやまあ《グッド・ロード》！」いちばん年寄りのが大声に言う。「大公様《クニエースドロイ》のお城からおいでだと！」

周囲に集った人びとの心臓のなかで禍々《まがまが》しい喪の旗がひらめくようだ。

ジョン・バンクロフトはいまやあることに気がついた。彼の同国人の作家、B・ストーカーは断じて出鱈目を言ったのではない、作り話をでっち上げたのではないのだ！

「皆さんに火酒を一杯ずつ！」若い、不羈《ふき》独立《どくりつ》の英国人はカウンターの方に向ってそう叫ぶ。するとモルトヘ・ロイテンシュタイナーが樽の方に歩いて行く。

X

これでもう一日中ヴァイオリンや風笛やシンバルを奏《や》っている。村のいちばん年嵩の娘オレアナが幼な馴染の若い猟師イルゴールと結婚するのだという。だが、羊飼いや森番たちが噂し合っているドラキュラ城のこの異様な前仕度は、一体何を意味しているのだろう？　村の長老プロコポップは、いまははや楽しい気分どころではない。御領主さまはあの既得権を行使なさるのだろうか？

XI

トランシルヴァニア地方の古くからの風習にしたがえば、花嫁は一人きりで未来の寝室に入って行って、そこに用意の花嫁冠を被って出てこなければならないという……

オレアナが一時間経ってもまだ戻ってこないので、婚礼客一同が寝室に押し入ってみると——なんと部屋のなかはもぬけの殻。オレアナはきれいさっぱり消えてしまっているのだ！　だが鏡のなかにはちょうど人間一人が通り抜けられるくらいの大きさの穴がぽっかり開いて……

あれまあ《グッド・ロード》！　うっかりしてニンニクの花を撒くのを忘れてたぞ！　イルゴールが絶望的な声を上げる……

XII

ドラキュラ城の通称蝙蝠の間《ま》、じつはどっこい選り抜きの装備をそなえた拷問部屋。

純白の花嫁衣裳に包まれたオレアナは、まだ動かしていない伸展床の上に革紐でしばりつけられている。麻痺してしまっているように見えるが、しかもその顔は恐怖や懼《おそ》れの色はいささかも見せておらず、むしろ花婿への淡い期待の色を湛えている……

百歳も老け込んでしまった伯爵は、レトルトや解剖メスや吸出し管でなにやら大童わ。豪奢の極みで燃え上る篝火《たいまつ》の明りが、閉め切ったカーテンの血のように赤い織布の上、暗がりの闇のなかでちらちらとふるえる。城のどこかでチェンバロ音楽のテープレコーダーが回っている。古風な、調子の高いツァルダス。

伯爵はついに決心して華奢な鉤状の道具を選びとる……

XIII

へし折れた猟銃から遠からぬところに、ある火曜日の早朝、村人たちが森番助手イルゴールの姿を発見する。何事が起ったのだろう？　誰がこの熊のように逞しい男を斃《たお》したのであろうか？　急遽呼ばれてきた医師、レブ・プロッスニッツァーが緑を点々とちりばめた死体を精密に検診すると、まごう方なく右肩ロの頸部には二重の傷、華奢な猛獣の二本の牙の一撃である……レブ・プロッスニッツァーは口を緘し、しかめた顔つきでヘブライ文字の小冊子をぱらぱらとめくる。

おや、そこに！　周りの野次馬の誰かが叫ぶ。

何があるって？

オレアナの花嫁冠には衣裳飾りの装飾用のと同じ七竈《ななかまど》の実がつけてあったが、それがいまイルゴールのむごたらしく硬直した左手に絡みついているではないか！

マンドラーク近隣の農夫たちの秘密連禱。

ドラキュラ　禿鷹のようないやな臭いのする者よ
　　　　　われらを護れよかし
ドラキュラ　ビールのように血を飲む者よ
　　　　　われらを護れよかし
ドラキュラ　生贄を探しもとめる者よ
　　　　　われらを護れよかし
ドラキュラ　三位一体を呪う者よ
　　　　　われらを護れよかし

ドラキュラ　世界をへめぐり旅する者よ
　　　　　　　　われらを護れよかし
ドラキュラ　眼《まなこ》を氷に閉ざせる者よ
　　　　　　　　われらを護れよかし
ドラキュラ　墓穴より立ち現われたる者よ
　　　　　　　　われらを護れよかし
ドラキュラ　甲虫のごとく這い回る者よ
　　　　　　　　われらを護れよかし
ドラキュラ　たえず媾《まじわ》りおれる者よ
　　　　　　　　われらを護れよかし
ドラキュラ　淫らなる行為《おこない》をなす者よ
　　　　　　　　われらを護れよかし
ドラキュラ　マンドラークの空を翔ぶ者よ
　　　　　　　　われらを護れよかし
ドラキュラ　汚物の上に横たわれる者よ
　　　　　　　　われらを護れよかし
ドラキュラ　血管を恋い慕う者よ
　　　　　　　　われらを護れよかし

ドラキュラ　たえず殖えまさり行く者よ
　　　　　　　　　　　　われらを護れよかし
ドラキュラ　汝　良き額にたかれる蛆虫よ
　　　　　　　　　　　　われらを護れよかし
ドラキュラ　汝　心と脳髄のドラゴンよ
　　　　　　　　　　　　われらを護れよかし
ドラキュラ　汝　赤き白鳥の主人《ぬし》よ
　　　　　　　　　　　　われらを護れよかし
ドラキュラ　汝　爪と歯の達人よ
　　　　　　　　　　　　われらを護れよかし
　　　　　　　　　　　　われらを護れよかし
　　　　　　　　　　　　われらを護れよかし

XIV

J・A・バンクロフト：畜生、ひょっとするとぼくのフッセルとプッセル行きの手紙は眼の黒いうちには届かんのじゃないかしら！

山のなかの三ロシア哩先には三人の男：フッーレ人の農夫二人と地方駐在憲兵アポロドルス・

ヤクシュが制服姿の死体をとり囲んでいる。

アポロドルス・ヤクシュ：皆の衆、こりゃ片眼の郵便配達夫ヴェロシペクスじゃありませんか!!

一同、眼の前の迷迭香《まんねんろう》と薄雪草《エーデルワイス》の間で最後の眠りを眠っている、血の気の失せた死体を眺めやる……

アポロドルス・ヤクシュは鹿角製の猟人ボタンに眼をとめる。どうやら片眼の男はそう簡単にくたばったわけではないようだ。

XV

この黒表紙の本こそは、カーミラの新しい母、気が狂ったアブウ・アルーハズレッドの世にもおそろしい『ネクロミコン』!……こんな風にドラキュラは彼自身の悪名高い祖母《おばあ》さんの父親となるのだ。赤いレトルトのぐつぐつと煮えたぎる忌わしい沸騰のまわりを、金色の飛沫を上げる乳香さながら、細やかなブロンドの髪がひらひらとなびいている。腐爛と新鮮な精液のにおいのする空気が実験室中に立ちこめる。タイル張りの壁のなかから薔薇色の身の毛のよだつような蝎《さそり》がぞろぞろと湧いてくる。伯爵は蝎どもを踏みつぶし、鼻を鳴らしてそのにおいを嗅ぐ……

カーミラが素裸で棺のなかから身を起す。彼女の肉はまだ蒼白く、乳房の尖は呪われた針に突き通されている……

XVI

失礼ながら、姪のカーミラをご紹介致したいのですが、と伯爵がその英国からの客人に向って言う……燭台の光に照らされた祖先の間《ま》の大階段の上をカーミラがあゆみ降りてくる。彼女のブロンドの髪は荘重に調髪され、チャコール・グレイのイブニングを身にまとい、腐爛のにおいが珍奇な香水のようにうっすらと身のまわりに漂っているが、それが本当に腐敗物なのか、それとも珍種の外国の薬物なのかはわからない。姪は昨年中は聖ペテルスブルクで暮しておりましたが、健康上の配慮からこの冬は故郷のトランシルヴァニアで過したいと……

マクシミニウがどろりと重いハンガリー赤葡萄酒《トカイヤー》をサーヴィスする。驚かれておいでですね、と伯爵がエドウァルダに向って言う、ですがこのちょっぴり塩辛い味がこの地方の風習でしてね！

XVII

群がる蝙蝠の一団がわらわらと浴室のなかに闖入し、浴槽のエドウァルダを引っ攫《さら》い、彼女を抱えて月光に照らされた秋の森の空を飛んで行く。ジョン・アッダーレイ・バンクロフトは窓硝子の割れるけたたましい音に眼を覚まして、鍵の掛った浴室のなかに押し入り、石鹸水に滑って堂《どう》と倒れると長々とノビてしまう。情容赦もない麻痺が彼の身のまわりを包み込む。お部屋にお連れしろ、とドラキュラが、僕《しもべ》のマクシミニウに向って言う、英国のこのお若い方には休息が必要だ……

戸外《そと》の厩《うまや》の前にはカーミラが朽葉色の狩猟服を着て立っている。馬車の用意をしておくれ、マクシミニウが森の猟小屋に連れて行ってくれるそうだから！

XVIII

足どりも軽やかにカーミラは猟小屋の前で一頭立馬車から跳び下りる。マクシミニウはケースのなかに鞭を蔵い、カーミラは粗い板張りの扉の方へと足を速める……だが、あれは一体何だろう？　猟小屋のなかからは、割れた窓硝子の破片を物ともせずに、吸血鬼となった猟番のイルゴールが躍り出てくるではないか。イルゴールの眼は真赤に縁取られ、形相は死体のように黄変し、その緑のスーツにはまだうっすらと石灰《カルキ》と湿った土のにおいが立ちこめている……畜生《ブサー・クリーク》め！　カーミラは無性に腹立たしい思いで思わずそう口走る、此奴《こいつ》ったら出し抜きやがって、あたしのかわりにエドウァルダを物にしたんだわ、森のことならあたしよりずっと精しいんだからね！　小屋のなか、床板の上にはエドウァルダの死体が汚点《しみ》ひとつない一枚の紙のように純白に横たえられている。カーミラはマクシミニウに命じてバンクロフト氏の花嫁を森の空地の柔かい地面に埋めさせる。彼女が真夜中ににょっきりと歯を生やして蘇るのはむずかしいことではないであろう。

XIX

おや、どうやらずいぶん長いこと眠っていたらしいな！　ジョン・アッダーレイ・バンクロフトは眼を覚まして叫んだ……

だがそれから：だんだんに記憶が戻ってくるぞ……エドウァルダだ！　憐れなエドウァルダだ、何処だ、ああ！

城のなかは荒涼として人気《ひとけ》がなかった、いばら姫のように眠りこけた荘園、伯爵も、カーミラも、斜視のマクシミニウもいない！　二挺のピストルを手に石のように身を硬張《こわば》らせたバンクロフトは一日中、ノスフェラチュ大広間や秘密の間を探しあるく……

すべては彼の見た一場の夢だったというのか？　いや、とんでもない！

XX

零時！　父祖たちの時代のように祖先の間の巨大な振子時計が喪の時鐘を打ち鳴らす……壁の漆喰がかすかに水の流れるような音を立てる……と、こはそも如何に《ロー・アンド・ビホールド》！　カーミラの真物の油絵のなかから、一人の夜行性の血を求めて蘇生した女が、一枚の手漉き紙よりも蒼白に跳び出してくる。いまは亡きエドウァルダ・コーンウォリス！ その高さ三メートルの跳躍は完全に音もない！ ほのかに光る穴がひとつおそろしい肖像画のなかにぽっかりと口を開く……愛《いと》しいお方、ジョン……！

するとジョン・アッダーレイ・バンクロフトの眼には花嫁の甘やかな口に一列の真珠のように純白な蝮《まむし》の歯がにょっきり突き出すのが見える、花嫁の白鳥の頸《うなじ》のおそろしく小さな傷痕も見える……彼のピストルはにぶい音を立てて床に落ち、彼はくるりと背を向けて走りはじめる、おそろしい夜の戸外へ、一目散に走る、走る、ひた走る！

XXI

地方駐在憲兵、ケースマルク生れのドイツ人、ドラキュラ伯爵の賄賂を受取らなかった、だがひそかに蔭で彼を悪魔呼ばわりしていた唯一人の警察官、アポロドルス・《ロイス》・ヤクシュは、その古風な回光通信機を前にして死んでいる。小ぢんまりとした、しかし清潔なその部屋は、広《カン》東香料《トン・パチュリ》と掘り起したばかりの土のにおいがする……

悪疫のさなかに、おおアッダーレイ・バンクロフト、この芳香《よきかおり》を贈りしは、そも何者？

XXII

マンドラークの警察司令部で係官は七回にわたってJ・A・バンクロフトに説明する、ノスフェラチュ伯爵はもう何年も前から御家族ともども聖ペテルスブルクにお住いだ、と……

アア、大公様ネ！　アノ御家族ハモウ三年以上モぺてるすぶるくニオイデダ！　イイエ、ばんくろふと夫人、何カノオ間違イデショウ……

J・A・バンクロフト：では万事休すだ！　だがこのとき彼にはふと、あのトランシルヴァニア軽騎兵の口元に、そう、何と言ったらいいのか、人狼のような表情が、むろんチラリとした予感にすぎないとはいえ、宿っているような気がする……

そして、あたかも猛獣の檻の危険を脱するかのように：

では皆さん、どうぞよろしく……と言うが早いか、退場。

XXIII

一体、君は何て人間なんだ、ジョン・アッダーレイ・バンクロフト？　どんな悪魔が君のなかに巣食って、君のかけがえのない花嫁、穢れのない、天使のようなエドゥァルダを、あのあらゆる悪のシャングリ・ラ、ドラキュラ城へ誘拐する気にさせたのだろう？　それでも君は、あの地獄の主《ぬし》の、鋸歯つき吸気管つきの一族より善良な人間だというのかね？　ドラキュラその人よりも温厚だというのか？

ハア、そら行け、走れ、走れ！　カスピ海さして行け、この暗鬱なカルパチア地方が君に授けたものをビンドコスフの純な清らかな谷々で忘れようとするがいい！

XXIV

黄金の角も、ビザンチンの驚異も、トルコの月も、ジョン・アッダーレイには近東地方《レヴァンテ》を旅する間身辺をかすめ過ぎて行く、色褪せた、灰色の走り文句にすぎない。紅海を渡ってインド洋に入る。カシミール！　カラチでＪ・Ａはスリナガール行きの切符を買う……

XXV

するとそこには、色とりどりの葉の下に埋もれ、グールの夢々のなかに紡ぎ込まれて、カーミラとエドウァルダが彼を待っている。この地方の季節はいまは秋……

邪悪なノスフェラチュの一族出身のドラキュラ伯爵の主《おも》だった敵を糾合した集会。

アンクラム・ザ・サッカー、スチュトヴァリーの僧正

専制君主カリマコス・フォン・ブロート

フレデリック・オブ・ドランケンスティン
大騎士ゲレデムフィー
モルダズラ、モンゴールの妖女
原シベリア人アクシュ
ヒルシュホルン王家
シュー夫人
ラカドリュ・フォン・シャトマール
ミス・ジュウスティナ・フェイスフル
ワーロック・ディヴィッシュ
ゴードン・サムスターグ氏
森番助手イルゴール
村の長老プロコポップ
憲兵アポロドルス・ヤクシュ
レブ・プロッスニッツァー
ジョン・アッダーレイ・バンクロフト

編者解説

一九七〇年に薔薇十字社から『吸血鬼幻想』(現・河出文庫)と題するエッセイを公けにして以来、私は、折があれば、血の糸につながれた真珠のように純白な吸血鬼の歯牙にも譬えられるような、吸血鬼小説のミニアチュール・アンソロジーを編んでみようと考えていた。小アンソロジーであるからには、一篇があまり束《つか》を取りすぎてはいけない。そういうわけでブラム・ストーカーの『吸血鬼ドラキュラ』、シェリダン・レ・ファニュの『カーミラ』、ポール・フェヴァルの『吸血鬼の村』のような長篇はあらかじめ除かれる。スラヴ系の吸血鬼小説も、概して中長篇なので敬遠しよう。英米系のパルプ・マガジン作家のそれまでをも含む厖大な宝庫は、いずれその道の専門家が発掘してくれるだろう。そんな風に消去して行くと、自然に本書の目次のようなアンソロジーになってしまったのである。

そんな風にして一九七三年に薔薇十字社から出版した『ドラキュラ・ドラキュラ』と題する本書の原形には、ここに並んだ作品の外には、小説ではロレンス・ダレルの「謝肉祭」(版権の関係で今回は割愛せざるを得なかった)の外に三つの吸血鬼学的エッセイを含んでいた。すなわち日夏耿之介の「吸血鬼譚」、ヴォルテールの「吸血鬼」、オーギュスタン・ドン・カルメの「吸血鬼たち」である。そこでは、わが日夏耿之介はともかく、十八世紀フランスの護教家ドン・カルメと啓蒙主義者ヴォルテールとは、いずれも吸血鬼の実在をではないとしても、吸血鬼の実在を信じている人びとの一定の力を認めながら、これを抹殺しようとしたり、あるいは自分の陣営に都合の好い方向に誘導しようとしたりして躍起になっている。十八世紀末には、瀕死の衰弱を病みながらも、まだ吸血鬼の伝説や迷信が人びとの間に生きていたのである。言い換えれば、そういう非現実が当時の人間には現実の一部になっていた。毎日のように体験している現実の一部であるからには、それをわざわざフィクションにして読むには及ばない。つまり、吸血鬼小説が発生するのは、吸血鬼信仰が完全に死んでしまってからのことなのである。そう考えると、吸血鬼小説がどうして近代の衰弱期に出現してくるかという意味がよく分る。吸血鬼を主人公にした物語の書き手たちは、吸血鬼がもはやいないと誰もが承知しているような時代になって、はじめて現われてきたのであった。

そのために、吸血鬼小説には、やむをえないことながら、どこかいつも贋物臭い、まことしやかな嘘ッ八のような、いかがわしい印象がつきまとっている。物語の裏付けになる吸血鬼信仰がもはやどこにもなくなってしまっているからだ。しかし才能のある小説家にはそれこそがつけ目でもあるので、この土俗的で残酷な伝説を、そのまま、現実の裏付けがないためにきわめて軽やかな、内容が失われたためにそれだけ装飾美の目にあでやかな、典雅で繊細な物語に仕上げる絶好のチャンスが到来したも同然なのである。このアンソロジーでいえば、メリメ、ジャン・ミストレル、アルトマンの諸作品では、偽作やパロディーであることが一目瞭然で、しかもそのことが一層の興趣を唆る仕掛けになっている。要するに、この失われた信仰は、現実の神通力を失ったために、その拘束力のない白紙の上に黒いロマン派や世紀末趣味やシュルレアリスムやポップ文学や、ありとあらゆる時代様式が自由に創意をくりひろげることができる場となったのだ。

吸血鬼小説の展望については、先にも述べた拙著のなかに詳述したのでここではくり返さない。ただ、一連の吸血鬼小説が最初に出現することになった歴史的日付のみを記しておこう。

一八一六年夏、スイス、ジュネーヴ湖畔のバイロンの別荘に四人の男女が集った。バイロン、詩人のシェリー、のちにシェリー夫人となるメアリ・ゴドウィン、それにバイロンの主治医で文学ディレッタントのジョン・ポリドリである。四人はさまざまの談話に興じた後ドイツの幽霊物語を朗読し、自分たちも銘々こんな怪奇小説を書いてみようではないかと約束した。夭逝したシェリーを除いて、後の三人は約束を実現した。シェリー夫人は『フランケンシュタイン博士の怪物』を、ポリドリは『吸血鬼』を、バイロンは未完に終った吸血鬼小説の『断片』を書き上げたのである。ところがどう間違ったか、ポリドリの『吸血鬼』を「ニュー・マンスリー・レヴュー」誌（一八一八年）に発表する際、編集者が作者名をバイロンとしてしまった。折からのバイロニズムの流行と相俟ってバイロン実はポリドリ作の『吸血鬼』は爆発的な人気を呼び、たちまち大陸に渡ってフランスやドイツでも翻訳され劇化されて、一躍吸血鬼ブームを生んだのであった。

これが最初の吸血鬼小説ブームであったとすれば、二度目は十九世紀末に訪れた。すなわち、アイルランドの小説家ブラム・ストーカーの『吸血鬼ドラキュラ』である。『ドラキュラ』も早速劇化されて大成功したが、何よりも映画の発明がドラキュラのイメージの大衆化に拍車をかけた。以来、ドラキュラ映画はくりかえし映画化され、ヨーロッパといわず、アメリカといわず、世界のあらゆる国々に吸血鬼ドラキュラのイメージは定着してしまっている。吸血鬼といえばドラキュラと今日では子供の間でさえ相場が定っているのも、ひとえに映画の大衆動員力のお蔭であろう。当初バルカンの一地方（トランシルヴァニア）の伝説上の悪霊にすぎなかった吸血鬼は、啓蒙主義に息の根を止められて十八世紀に一度《ひとたび》は死んだが、その死を通じて小説や演劇や映画のなかに強力に甦り、ついには世界中に吸血鬼熱が伝染してしまったのである。信仰の現実としては死にながら万人の無意識の夢想のなかに巣食うという巧妙な作戦を弄して、いまや世界中がまんまと吸血鬼の思う壺にはまってしまったかのようではないか。まことに見上げた高等戦術と申すほかはない。

しかしまあ徒《あだ》し言はこれ位にして、早速、個々の作品の解説に入ろう。

ジャン・ミストレル「吸血鬼」

私の手元にいまフランス装アンカットの、数葉の見事なオリジナル・エッチングを綴じ込んだ、まことに贅沢かつ瀟洒な手漉紙製特装本がある。限定本五二〇部中一八五番。モナコのデュ・ロッシェというエディションから一九四四年十一月十五日付で出版されている。扉に「贈種村季弘様　巖谷國士」とペンの署名があり、ブルトン研究家の巖谷國士氏に贈られたものであることが知れる。吸血鬼コレクターである私の純な心根を察してか、数年前、ちょっとばかり皮肉な笑いを浮べながら彼が贈ってくれたものである。

読み出してみると、これが意外に面白かった。十八世紀後半も大革命直前に生きていたド・ヴィーユヴェール騎士の回想録抜萃を「吸血鬼」の表題の下に作者ジャン・ミストレルが編み直した体裁になってはいるが、ジャン・ミストレルなどという現代作家はもとより、ヴィーユヴェールという名の騎士もどこにも実在してはいないのではあるまいか。典雅な擬古体で綴られたこの牧歌的な吸血鬼物語は、誰やら才智ある現代作家のディレッタンティズムの産物であって、言ってみれば、二十世紀のメリメのような人物がこの贋十八世紀小説の仮面の背後に身を潜めているにちがいない。久しい間私はそう考えていたが、これは私の錯覚だった。騎士ヴィーユヴェーユはともかくとして、ジャン・ミストレルは歴としたノルマリアンのアカデミー・フランセーズ会員であり、ヴァーグナーやホフマンをはじめドイツ・ロマン派についての著作やエピナル版画の研究で世に知られている作家らしい。後にたまたまこの人の「カスパール・ハウザー」研究を私自身の「謎のカスパール・ハウザー」執筆時に参照したので、その並々ならぬドイツ通ぶりにふれることができたような次第である。

ヴォルテールの友人である開明的なフランスの騎士詩人がハンガリアの土俗的な蒙昧主義者ヴィンダウ男爵を相手に死闘を演ずるこの物語は、仔細に見るならば、革命前の時代の精神史的状況をかなり正確に再構成している。ヴォルテール崇拝者であるエルデリィイ伯爵は、ひょっとするとフリードリッヒ大帝がモデルではあるまいか、などとモデル探しを試みるのも一興であろう。

とまれ、作者の意図の一半が、西欧啓蒙思想の侵入とともにあえなく没落して行く、素朴な中世共同体への嫋々たる哀歌を唱うことにあったことは疑いを容れない。春爛漫たる花盛りのような婚約式と、それに続くヴィンダウ処刑や末期の床の婚姻の死の儀式性の描写は全篇の白眉であろう。してみれば前半のゴシック小説風の設定は、畢竟、沈み行く王朝文化を嘆く、終曲部のこの華麗なデカダンスを誘い出すための書割のごときものであるかのようだ。十八世紀人の明晰な男性的文体で右のすべてを書きこなしたミストレルの手腕は並々ならぬものであると言わなくてはなるまい。なお翻訳に際しては秋山和夫氏の協力を仰いだ。

プロスペル・メリメ「グスラ」

この作品については拙著『吸血鬼幻想』のなかで若干触れているので、以下に引用させて頂く。
「メリメの『グスラ』は、仔細に眺めれば、精巧にこしらえあげた一種の瞞し絵である。イリリア地方の民衆抒情詩の翻訳と銘うったこの詩集には、メリメ自身がイリリアのヴェルゴラッ山地の奥深い村ヴァルボスカで実見した吸血鬼の話までが収録されていて、いかにもそれらしく見せかけてはいるが、すべて完全な贋物であった。性急な全集編集者たちは、かなり長い間この〈翻訳〉をメリメの作品目録から削除していたほどで、まんまと贋物の地方色の仮面を被りおおせたメリメのシニシズムはそれだけ完璧だったのである。」
すなわち、ここに択った三篇は「グスラ――ダルマチア、ボスニア、クロアチア、ヘルツェゴヴィナにて採集された抒情詩選」からのとりわけ吸血鬼の登場する部分の抜萃である。なお一種のペテンであるこの民俗詩の「翻訳」にはさらに「グスラ」という表題そのものがもうひとつの手の混んだ文学的詐欺の前歴の文字謎になっていて、そこにメリメ自身の女装姿の肖像までがペテンに一役買う複雑な経緯が絡んでくる。ちなみに、先にもふれたように吸血鬼物語にこの種のペテンはつきものである。ゴーゴリの吸血鬼小説「ヴィイ」も作者自身はウクライナの民話に取材したと断っているが、似たようなウクライナ民話はじつはどこにも見当らないという。

ジョン・ポリドリ「吸血鬼」

ポリドリとその「吸血鬼」が十九世紀文学史上に占めるユニークな位置については前述の通りであるので、ここでは翻訳について二、三。

筑摩書房版現代日本文学大系「佐藤春夫集」の年譜によれば、昭和七年、春夫四十歳のときに「バイロンの翻訳『吸血鬼』を『犯罪公論』に連載（三月完）」とある。同年完結した改造社の三巻本「佐藤春夫全集」翻訳篇に収録されているのがこれである。もっとも春夫もポリドリの作品が誤ってバイロン作とされていることは知っていたようだ。

ただ、春夫の翻訳家としての力量をこの作品で評価するのが酷であるのは重々承知の上のことではあるが、今日ポリドリの原文を参照してみると、この翻訳はかなり杜撰な訳文の脱漏や誤訳が目立つ。私の意図は、この大正審美主義文学最大の感性が海彼の吸血鬼小説に接触した瞬間の初々しい驚きと共鳴を再録することにあった。ポリドリ作品の完璧な翻訳を御希望の方は、平井呈一の新人物往来社『真紅の法悦』所収の訳業を併読されたい。

E・Th・A・ホフマン「吸血鬼の女」

ホフマンの吸血鬼といえば、誰しもまず有名な『砂男』に登場してくる年老いた召使女がナタナエルに話して聞かせる、怖ろしい吸血鬼のフォークロアを想い起すにちがいない。「ナタナエルさま、まだ御存知ないのですかえ？　あれは邪悪な男で、子供たちがベッドに寝に行きたがらないでいると、やってきて両手一杯の砂を、眼玉が顔から飛び出してしまうように子供たちの眼のなかに放り込み、その眼玉を袋のなかに納って、半月の夜自分の子供たちの餌に運んで行くのですぞえ。あれの子供たちは棲処《すみか》に待っていて、まるで梟みたいに折れ曲った嘴をして、それでお行儀の悪い人間の子の眼玉を摘んで食べてしまうのですだ。」

後出のシュオップの「吸血鳥」と同類の、鳥の姿に変身する能力もあるらしい怪物であるが、同時にこの無気味な砂男は――フロイトが分析したように――子供を去勢する（眼玉をえぐり取る）怖ろしい父親の象徴である。

ここに「吸血鬼の女」の邦題で訳出したエピソードは、もともと長篇『ゼラピオン同盟員』のなかの、同盟員の一人ツィープリアンが語り手の物語であるが、『砂男』のエディプス・コンプレックスによる吸血恐怖と、この物語の「悪い母親」への両極性感情を機軸にしたエレクトラ・コンプレックスの産物たる嗜血―嗜肉癖を対照させながら読んでみるのも一興であろう。

ジュール・ヴェルヌ「カルパチアの城」

世界一周や海底探検の空想旅行記作者ジュール・ヴェルヌについては今更言うべきこともないであろう。本篇は同名の長篇小説のエピソードを一章そっくり採録したものである。小説全体はこの章が伏線となってさらに多彩なロマンスの綾をくりひろげていくのであるが、独立した物語としてこれだけで優に読むにたえる。ここには実際の吸血行為こそ出てこないが、メスメリスム(催眠術)は古来吸血鬼伝説の不可欠の要素である。また吸血鬼信仰の本場カルパチア地方に取材した一事からしても、作者が吸血鬼小説のユニークな変種を作ろうとしていた意図は疑いを容れない。

マルセル・シュオッブ「吸血鳥」

古い文学ファンならひょっとして、大正十三年瀟洒なフランス装で新潮社から出た、海外文学新選第十一編矢野目源一訳マルセル・シュオッブ作『吸血鬼』という本のことを憶えておいでではなかろうか。表題作の外、「黄金仮面の王」、「大地炎上」、後に新訳の出た「081号列車」、さらに『空想伝記集』からウッチェルロや土占師スファラの伝記を訳し編んだ十二編である。その他短篇集『二重の心』や『黄金仮面の王』から選んだものだがその選び方がいかにも異想好みの矢野目源一らしいアンソロジーであった。いま読み返してみても、矢野目訳は今日でも充分に通用する名訳であるが、シュオッブの名文章を日本語に直す作業が私には娯しくてあえて改訳を試みた次第である。頽唐期ローマの暗澹たる快楽主義《ヘドニズム》を同時代の世紀末意識に照らして、快楽と死の絢爛たるゴブラン織を紡ぎ上げた作家は、おそらくこの作品のなかに、間近に迫る早すぎるおのれの死の姿を予感していたのかもしれない。

コナン・ドイル「サセックスの吸血鬼」

コナン・ドイルといえば、快刀乱麻を絶つ颯爽たる名探偵シャーロック・ホームズの作者として有名であるが、この科学的実証的合理主義者が晩年にいたって心霊術に耽溺していたことを知っている人は、存外すくない。本篇は、彼が心霊術研究に深入りしていた当の晩年に書かれたものので、明智の人ホームズの暗い流血にたいするつねに優越的な冷笑は影をひそめ、合理主義の理解の及ばない、子供や未開の世界にたいする畏怖が、ほとんど膝を屈するような姿勢で前面に顕われている。探偵小説と吸血鬼の本質的な関係を示唆する読物としても重要であろう。

ルイージ・カプアーナ「吸血鬼」

カプアーナはイタリア自然主義の作家。この短篇小説が捧げられているロムブロゾオはいうまでもなく前世紀末、とりわけ催眠術の研究で名高い心理学者―犯罪学者のチェーザレ・ロムブロゾオその人である。世紀末の妖異な雰囲気がこの小説の土壌となっていることは、この一事からしても容易に推察できるであろう。なお翻訳は仏訳（ヴェラン・ミュエイム訳）からの重訳であるが、その際ハイネマン版『吸血鬼アンソロジー』の独訳を参照した。

ベレン「吸血鬼を救いにいこう」

ベレンという不思議な筆名を持ったシュルレアリスムの女流詩人の作品に私がはじめて接したのは、フィリップ・スーポー序文、アンドレ・マッソン挿絵による、幻想的コントとも散文詩ともつかない小品集『官能の貯蔵庫』においてであった。一読、官能の閃光のような凶暴な煌きとシニカルな無感動の冷ややかさとの異様な結合が生み出す、エロチックな宝石のようなイマージュの数々に魅せられてしまったものである。ベレンには『サバトの女王』という短篇集もあるが（前述の『官能の貯蔵庫』は表題の作品も含んでいる）本篇は『官能の貯蔵庫』から択《と》った。

ベレンの筆名の由来は太陽神ベレムスにあり、奇嬌な筆名の背後に身を隠す仮面癖がその一例であるように、生年月日も経歴も一切不詳。徹底したミスティフィケーションの背後に杳として素姓を明かさない。肖像写真もつねに婉々とした右腕を示すのみ。わずかに判明している事実といえば、水夫の父、不詳の母の間に生れ、世界を転々として、一時は上海に居住したこともあるということと位のものである。彼女は幼少からエロティスム文学に傾倒して、十余歳からペンを執った。スーポー、マンディアルグの激賞を買って文壇に登場。アンドレ・ブルトン晩年の恋人であったとも言われている。（ベレンの経歴については巖谷國士氏の教示を仰いだ）

ジェラシム・ルカ「受身の吸血鬼」

ロートレアモンの『マルドロールの歌』以来、シュルレアリストにとって吸血鬼の表象は一種強迫観念となったかの観がある。ブルトンは「ノスフェラチュ・タイ」なるネクタイのオブジェまで発明しているし、『ナジャ』のなかでも吸血鬼の表象が重要な役割を演じていることは言うまでもない。

ジェラシム・ルカのロートレアモン風の小品もシュルレアリスムのこの狼人症的《リカントロピー》性格から派生した奇怪な能動―受動のエロチックな力学であると言えよう。ルカについて私の知る所はほとんどなきに等しいが、ロジェ・ヴァディム編『吸血鬼物語集』の解説によれば、この作品は「ジェラシム・ルカのシュルレアリスム時代」に書かれ、今次大戦直後、ルーブリ社によってブカレストから出版されたという。

H・C・アルトマン「ドラキュラ　ドラキュラ」

これはまたなんとも奇妙な吸血鬼小説である。ポップ・ミュージックでいえばビートルズ、映画でいえばロマン・ポランスキー、絵画でいえば東欧の素朴画家のような、ファンタスティックな興趣溢れるメルヘンであり、また蒼古たる怪奇趣味を言語遊戯的綺想で手玉に取ったパロディーであるとでも言おうか。

かつてたまたま私は同じ作者の綺想小説集『サセックスのフランケンシュタイン』（河出書房新社、今日の海外小説23）を訳出したことがあり、その解説にこのなんとも人を喰った詩人の横顔を紹介しておいたので、ここで詳しくはくり返さない。生年月日からして一九二一年とも、一九二四年とも称して人を煙に巻くこの詩人は、今日、往時のエズラ・パウンドと比較される感性の革命家としてオーストリア文学に重要な地歩を占め、ウイーン幻想派画家たちに汲めどもつきせぬ詩想を提供している。

　数十箇国語を操って作中随所に博言家ぶりを発揮するアルトマンの翻訳は困難をきわめるが、とりわけこの小説は、いわば活字のタイポグラフィーによる視覚的遊戯を楽しんでいる趣があって、訳文では表現できなかったがたとえばドラキュラはДракѹлаのように古スラヴ文字で表わしてある。また文中英国の友人たち(?)に宛てて救助の手紙を出すらしい一節があるけれども、その英語ともなんともつかない言葉は暗号のように珍プン漢プンで原文のまま残さざるをえなかった。ひょっとすると暗号かもしれないが、ひょっとするとまるっきり出鱈目かもしれないのだ。いかにも中国語らしい会話を書いたり、サンスクリットを自著の見返しに装飾的に配してなにやら意味ありげに振舞ったりするのだが、苦心惨憺して調べてみると、これがすべていかにもまことしやかな、とはいっても世界のどこにも存在しない偽造言語であることが、この言葉の大詐欺師の場合、一再ならないのである。

　げんにこの小説でもドラキュラやノスフェラチュ以外にもいかにもトランシルヴァニア語らしい古スラヴ文字の言葉が頻出し、散々調べた揚句、その一つは英語のgood Lord!(おやまあ!)をスラヴ文字で表記しただけと判って一杯食わされたり、面白可笑しくも厄介な翻訳であったことをつけ加えておく。

　本書の原型は先にもふれたように一九七三年薔薇十字社刊の『ドラキュラ・ドラキュラ』であ

るが、文庫化に際しては、一九七九年多少の改編とともに大和書房から再刊されたものをテクストとした。最後に今回文庫化するのに際して、河出書房新社の内藤憲吾氏に一方ならぬお世話になったことを記して感謝したい。

一九八五年十一月十五日

種村季弘

*本作は、一九七三年薔薇十字社から単行本として刊行され、八〇年大和書房から再刊、八六年河出文庫に収められました。本書は、河出文庫版の新装版です。

*本文中、今日からみれば不適切と思われる表現がありますが、書かれた時代背景と作品価値とに鑑み、そのままとしました。

*訳者の一人、根津憲三氏の連絡先が判明しませんでした。お心あたりのある方は編集部までご連絡下さい。

ドラキュラ ドラキュラ

吸血鬼小説集《きゅうけつきしょうせつしゅう》

一九八六年 一月一〇日 初版発行
二〇二三年 二月一〇日 新装版初版印刷
二〇二三年 二月二〇日 新装版初版発行

編　者　種村季弘《たねむらすえひろ》

発行者　小野寺優
発行所　株式会社河出書房新社
〒一五一-〇〇五一
東京都渋谷区千駄ヶ谷二-三二-二
電話〇三-三四〇四-八六一一（編集）
〇三-三四〇四-一二〇一（営業）
https://www.kawade.co.jp/

ロゴ・表紙デザイン　粟津潔
本文フォーマット　佐々木暁
印刷・製本　中央精版印刷株式会社

Printed in Japan　ISBN978-4-309-46776-4

ドイツ怪談集

種村季弘〔編〕　46713-9

窓辺に美女が立つ廃屋の秘密、死んだはずの男が歩き回る村、知らない男が写りこんだ家族写真、死の気配に覆われた宿屋……黒死病の記憶のいまだ失せぬドイツで紡がれた、暗黒と幻想の傑作怪談集。新装版。

くるみ割り人形とねずみの王様

E・T・A・ホフマン　種村季弘〔訳〕　46145-8

チャイコフスキーのバレエで有名な「くるみ割り人形」の原作が、新しい訳でよみがえる。「見知らぬ子ども」「大晦日の冒険」をあわせて収録したホフマン幻想短篇集。冬の夜にメルヘンの贈り物を！

チリの地震　クライスト短篇集

H・V・クライスト　種村季弘〔訳〕　46358-2

十七世紀、チリの大地震が引き裂かれたまま死にゆこうとしていた若い男女の運命を変えた。息をつかせぬ衝撃的な名作集。カフカが愛しドゥルーズが影響をうけた夭折の作家、復活。佐々木中氏、推薦。

毛皮を着たヴィーナス

L・ザッヘル=マゾッホ　種村季弘〔訳〕　46244-8

サディズムと並び称されるマゾヒズムの語源を生みだしたザッヘル＝マゾッホの代表作。東欧カルパチアとフィレンツェを舞台に、毛皮の似合う美しい貴婦人と青年の苦悩の快楽を幻想的に描いた傑作長篇。

日本怪談集　奇妙な場所

種村季弘〔編〕　41674-8

妻子の体が半分になって死んでしまう家、尻子玉を奪いあう河童……、日本文学史に残る怪談の中から新旧の傑作だけを選りすぐった怪談アンソロジーが、新装版として復刊！

日本怪談集　取り憑く霊

種村季弘〔編〕　41675-5

江戸川乱歩、芥川龍之介、三島由紀夫、藤沢周平、小松左京など、錚々たる作家たちの傑作短篇を収録。科学では説明のつかない、掛け値なしに怖い究極の怪談アンソロジーが、新装版として復刊！